MARTIN LUTHER

An den christlichen Adel deutscher Nation

Von der Freiheit eines Christenmenschen

Sendbrief vom Dolmetschen

MIT EINER KURZEN BIOGRAPHIE
UND EINEM NACHWORT
HERAUSGEGEBEN VON
ERNST KÄHLER

PHILIPP RECLAM JUN. STUTTGART

Universal-Bibliothek Nr. 1578
Alle Rechte vorbehalten
© 1962 Philipp Reclam jun. GmbH & Co., Stuttgart
Gesamtherstellung: Reclam, Ditzingen. Printed in Germany 1995
RECLAM und UNIVERSAL-BIBLIOTHEK sind eingetragene
Warenzeichen der Philipp Reclam jun. GmbH & Co., Stuttgart
ISBN 3-15-001578-2

MARTIN LUTHER

Am 10. November 1483 in Eisleben geboren — am gleichen Ort am 18. Februar 1546 gestorben — zwischen diesen beiden Daten liegt das Leben und Werk des Mannes beschlossen, der wie keine andere Einzelgestalt je wieder das Gesicht Deutschlands, wie des Abendlandes überhaupt, geprägt hat: auch die katholisch gebliebene Welt ist als eine andere aus dem Kampf mit ihm und seinem Werk hervorgegangen, als sie vorher war. Er war zu echt und zu tief der ihre, als daß es hätte anders sein können.

Er entstammte einem thüringisch-fränkischen Bauerngeschlecht; sein Vater arbeitete sich dann vom schlichten Bergmann herauf zum mittleren Bergwerksunternehmer in Mansfeld. Es ist darum begreiflich, daß er bestrebt war, seinem zweiten Sohne mit Hilfe der gelehrten Bildung den weiteren Aufstieg zu ermöglichen. Den Schulen in Mansfeld, Magdeburg und Eisenach folgt ab 1501 das damals allgemein übliche Grundstudium in der sogenannten artistischen Fakultät in Erfurt, nach dessen Abschluß 1505 er dem Willen des Vaters entsprechend Jura studieren sollte. Doch bevor er damit noch recht begonnen hatte, löste ihn das Gelübde, das ihm der Blitzschlag von Stotternheim am 2. Juli 1505 entriß: „Hilf, St. Anna, ich will ein Mönch werden", aus diesem, ihm kaum voll zusagenden Lebensplan: vierzehn Tage später tritt er in das Augustiner-Eremiten-Kloster in Erfurt ein. Die Stufen, die ihn dann zu dem führen, was er zeit seines Lebens als Beruf ausgeübt hat, zur biblischen Professor an der Universität Wittenberg, der jungen Gründung des Kurfürsten Friedrich des Weisen, gehen über die 1507 erfolgte Priesterweihe, das daran sich anschließende Studium der Theologie in Erfurt und Wittenberg, vorübergehende Lehrtätigkeit sowohl in der artistischen wie der theologischen Fakultät, hier als Sententiar (vgl. S. 94 Anm. 158), zum theologischen Doktorat (1512) in Wittenberg. Dort wird ihm dann die Lehrtätigkeit seines Ordensoberen und väterlichen Freundes Johann v. Staupitz übertragen. Dem akademischen Aufstieg parallel laufen sich ständig erweiternde Aufgaben in der Leitung seines Ordens, in dessen Auftrag er 1510/11 auch in Rom weilt. Über der Erfüllung seiner Berufsaufgabe, eben dem Studium und der Auslegung der Heiligen Schrift, ist er zur Lösung der entscheidenden inneren Frage seines Lebens gekommen, der Frage, was der sündige Mensch letztlich von dem heiligen Gott und seiner Gerechtigkeit zu erwarten habe: Erbarmen oder Verwerfung. Als ihm hier an Röm. 1, 17 die Antwort aufging, daß Gott die vom Menschen geforderte Gerechtigkeit ihm in Christus schenke, ohne daß er etwas anderes dazu tun könne oder brauche, als es glaubend anzunehmen, war die entscheidende Entdeckung seines Lebens geschehen: von ihr aus las er die Bibel neu, von hier aus gestaltete sich seine Anschauung von Theologie und Kirche um. Diese Grundlegung vollzog sich bei Luther bereits seit etwa drei oder vier Jahren, als die Auswüchse des Ablaßhandels ihn dazu zwangen, seine Erkenntnisse der Wirklichkeit der Kirche seiner Zeit gegenüberzustellen: am 31. Oktober 1517 schlug er 95 Thesen „über die Kraft des Ablasses" an der Tür der Schloßkirche in Wittenberg an. Als Grundlage gelehrter Disputation einer freilich bedrängenden Frage gemeint, wurden sie das Signal für die große religiöse und politische Bewegung, die wir Reformation nennen. Das wohlausgewogene katholisch-mittelalterliche System des Verhältnisses von Gottes Gnade und menschlicher Bereitung zu ihrem Empfang, das System der hierarchischen Verwaltung der Gnade durch die Kirche fing an zu wanken; der Versuch einer Neuordnung des Lebens der

4

Christenheit in der unmittelbaren Begegnung mit der Heiligen Schrift begann Gestalt zu gewinnen.

Die Bemühungen des Vatikans, Luther durch einen Ketzerprozeß zum Schweigen zu bringen, scheiterten ebenso wie das abgemilderte Verfahren, ihn im Herbst 1518 in Augsburg durch ein Verhör, mit dem der Kardinallegat Cajetan beauftragt war, zum Widerruf zu bewegen: er appellierte an ein allgemeines Konzil, das die reformfreundlichen Kreise der Kirche immer noch als eine der Kurie wirklich überlegene Instanz ansahen. Nachdem auch die Vermittlungsversuche Karl von Miltitz' (s. S. 118 bei Anm. 21) gescheitert waren, trat der Kampf in seine entscheidende Phase: die Leipziger Disputation des Mittsommers 1519 zwischen dem Ingolstädter Theologieprofessor Johann Eck und den Wittenbergern Karlstadt und Luther zeigte zweierlei: daß die Frage nach der Freiheit des Willens im Blick auf das ewige Heil zwischen beiden Parteien das Grundproblem darstelle, dann aber und vor allem, daß der päpstliche Primat nicht göttlichen Rechtes sei und die Konzilien nicht als irrtumslos gelten könnten. Letzteres brachte Luther in die Nähe der in Konstanz verurteilten Lehre des Johannes Huß (s. S. 117 bei Anm. 18).

Nun begrüßten die humanistischen Reformer der Wissenschaften und die national deutschen, ständisch gesinnten Gegner des Papsttums, vor allem die südwestdeutsche Ritterschaft, in Luther einen Bundesgenossen. Niederschlag dieser vorübergehenden Kampfgemeinschaft vor allem mit den letzteren ist die erste der drei großen Schriften des Jahres 1520: *„An den christlichen Adel"*, deren Stoff vielfach humanistischer und antirömischer Polemik anderer entstammt. Wieviel tiefer jedoch als bei seinen Bundesgenossen der Widerspruch und die geforderte Neuordnung des geistlichen und politischen Lebens bei Luther begründet war, zeigt nicht nur die Gestaltung dieser Schrift, sondern auch und vor allem der nur wenige Monate später entstandene Traktat „*Von der Freiheit eines Christenmenschen*". Ein geistlich waches Papsttum wäre weder an dem „*Sendbrief an Leo X.*" in seiner treuherzigen Lauterkeit noch an der ihm beigegebenen Schrift selber vorübergegangen, selbst angesichts der Erschütterung der fast ausschließlich zur Sakramentsverwalterin gewordenen Kirche durch die kurz zuvor erschienene dritte große Schrift des Jahres „*Von der babylonischen Gefangenschaft der Kirche*", in der Luther von den sieben Sakramenten nur noch drei, Taufe, Abendmahl und Buße, als solche gelten läßt. Stattdessen drohte Rom Luther den Bann an und befahl die Verbrennung seiner Schriften. Er antwortete mit der Verbrennung der Bannandrohungsbulle und der Grundlage der päpstlichen Herrschaft in der Kirche, der Dekretalensammlungen, am 10. Dezember 1520 vor dem Elstertor in Wittenberg. Auf dem Wormser Reichstag fügte der junge Kaiser Karl V., nachdem Luther in der Sitzung vom 18. April 1521 erneut den Widerruf abgelehnt hatte, dem inzwischen ausgesprochenen päpstlichen Bann die kaiserliche Acht hinzu. Luthers Landesherr, Friedrich der Weise, verhinderte aber die Vollstreckung, indem er den Mönch für fast ein Jahr in ritterlichem Gewande auf der Wartburg verbarg. Hier entstand die Übersetzung des Neuen Testaments — mit der 1534 vollendeten des Alten Testaments zusammen Luthers bleibendstes Werk.

Inzwischen brachen jedoch Unterströmungen der Reformbewegung hervor, die Luthers Grundthese, daß die Freiheit des Christen als von Gott geschenkt angesehen werden müsse und nicht mit einer Menschen abgetrotzten Freiheit verwechselt werden dürfe, entscheidend gefährdeten: in Wittenberg schritt man unter starkem Einfluß Karlstadts zu gewaltsamen Reformen, ja, es kam zum Bildersturm. Luther verließ, ohne Rücksicht auf die Besorgnisse des Kurfürsten für seine Sicherheit, sein Versteck, und es gelang ihm, lediglich durch die Macht seiner Predigt, die Wittenberger Bewegung in geordnete Bahnen zu lenken.

Ähnlich wie dieses Einschreiten und seine inneren Voraussetzungen muß auch seine Stellung zum Bauernkriege von 1525 gesehen werden: gewaltsame Durchsetzung auch berechtigter Ansprüche im Namen Christi verstand er als Versuch Satans, Evangelium und politische Ordnung zugleich zu stürzen. Der Bauernkrieg bedeutet das Ende des deutschen Bauerntums als politischer Größe, nicht aber der Reformation als Volksbewegung. — Im gleichen Jahre brach er durch seine große theologische Schrift gegen Erasmus *„Vom unfreien Willen"* endgültig die Brücken zum Humanismus ab. Nicht minder entscheidend war seine Eheschließung im Juni des Jahres gewesen; in seiner Verbindung mit der ehemaligen Nonne des Klosters Nimbschen, Katharina von Bora, tat er noch einmal das Unwiderrufliche seiner Lösung von allen „selbstgewählten Werken der Heiligkeit" kund.

Von diesem Jahre an sind die entscheidenden Vorgänge der Reformationsgeschichte nicht mehr so an Luther gebunden wie bisher: sie wird zu einer Sache einerseits der Staatsmänner, andererseits einer ganzen Gruppe von Theologen, unter denen vor allem Philipp Melanchthon hervorragt. Im Streit um das rechte Verständnis der Einsetzungsworte des Abendmahls vor allem mit dem Führer der Schweizer Reformation, Huldrych Zwingli, kämpft Luther freilich noch einmal weithin sichtbar, und einsam wie nur je, um die unbedingte, durch keine Vernunftbedenken eingeschränkte Autorität der Heiligen Schrift. Seine Hauptwirksamkeit jedoch entfaltete er nun im inneren Aufbau des Kirchenwesens der der lutherischen Reformation zugefallenen Lande, vor allem Kursachsens. Bibelübersetzung, Ordnung des Gottesdienstes, Schaffung neuer Kirchenlieder, Kirchenvisitationen, Anregungen zur Neugestaltung des Schulwesens, der Kleine und der Große Katechismus, schließlich und hauptsächlich die Ausbildung der Theologen an der Wittenberger Universität und eine ausgedehnte Predigttätigkeit — das sind die großen Erträgnisse der zweiten Hälfte seiner Mannesjahre.

An der Festlegung des Bekenntnisses der der Reformation anhangenden Territorien und Fürsten auf dem Augsburger Reichstag von 1530 hat er keinen unmittelbaren Anteil: die Reichsacht hinderte, daß er das Gebiet seines Landesherrn, seit 1525 Johann der Beständige, verließ: so blieb er als dessen Berater auf der Veste Coburg, dem Augsburg am nächsten gelegenen sächsischthüringischen Besitz.

Die folgenden Jahre sind ein beständig wechselndes Spiel der Kräfte zwischen den katholischen Reichsständen und dem Kaiser einerseits und den evangelischen Reichsständen andererseits. Die Versuche, der Kirchenspaltung durch Lehrverhandlungen zu wehren, scheiterten ebenso wie die Hoffnung auf ein allgemeines Konzil. Durch die Ablehnung der Protestanten, auf dem Konzil von Trient zu erscheinen, sah sich der Kaiser genötigt, seine Macht mit bewaffneter Hand wiederherzustellen. Kurz vor dem Ausbruch des nach dem Ort, an dem sich die protestantischen Stände verbündet hatten, so genannten Schmalkaldischen Krieges starb Luther. Seine letzte Tat war die Schlichtung eines Streites unter den Grafen von Mansfeld. Seine Gebeine ruhen in der Schloßkirche zu Wittenberg, dem Platz, von dem aus sein Werk begonnen hatte, das bestimmt gewesen war, eine Welt zu wandeln.

AN DEN CHRISTLICHEN ADEL DEUTSCHER NATION
VON DES CHRISTLICHEN STANDES BESSERUNG
1520

Dem achtbaren und würdigen Herrn, Herrn Nicolaus von Amsdorf[1], der Heiligen Schrift Lizentiat und Domherrn zu Wittenberg, meinem besonderen, geneigten Freunde. D. Martinus Luther.

Gnad und Fried Gottes zuvor. Achtbarer, würdiger, lieber Herr und Freund! Die Zeit des Schweigens ist vergangen und die Zeit zu reden ist kommen, wie Ecclesiastes (Pred. 3, 7) sagt. Ich habe unserer Absicht entsprechend zusammengetragen etlich Stück, christlichen Standes Besserung belangend, dem christlichen Adel[2] deutscher Nation vorzulegen, ob Gott wollte doch durch den Laienstand seiner Kirchen helfen, sintemal der geistliche Stand, dem es mit mehr Recht gebührte, ist ganz unachtsam geworden. Sende das alles Euer Würden, darüber zu urteilen und, wo es not ist, es zu bessern. Ich bedenke wohl, daß mir's nicht wird unverwiesen bleiben, daß ich verachteter, weltabgewandter Mensch solche hohen und großen Stände wage anzureden in so gewaltigen, großen Sachen, als wäre sonst niemand in der Welt denn Doktor Luther, der sich des christlichen Stands annähme und so hochverständigen Leuten Rat gäbe. Ich laß meine Entschuldigung dahingestellt, verweise mir's, wer da will, ich bin vielleicht meinem Gott und der Welt noch eine Torheit schuldig; die habe ich

1. 1483—1565, Lehrer der Theologie an der Universität Wittenberg, bleibender Anhänger L.s, erster evangelischer Bischof von Naumburg, Mitbegründer der Universität Jena.
2. Das sind die regierenden weltlichen Stände, nicht der Geburtsadel im modernen Sinn.

mir jetzt vorgenommen, wenn mir's gelingt, redlich zu zahlen und auch einmal ein Hofnarr zu werden; gelingt mir's nicht, so hab ich dennoch einen Vorteil: es braucht mir niemand eine Kappe zu kaufen noch den Kamm zu scheren. Es steht aber noch dahin, wer dem anderen die Schelle anknüpft! Ich muß das Sprichwort erfüllen: Was die Welt zu schaffen hat, da muß ein Mönch bei sein und sollt' man ihn dazu malen. Es hat wohl mehrmals ein Narr weislich geredet und viele Male sind weise Leute gröblich zu Narren geworden, wie Paulus sagt: „Wer da will weise sein, der muß ein Narr werden[3]." Auch dieweil ich nicht allein ein Narr, sondern auch ein geschworener Doktor der Heiligen Schrift, bin ich froh, daß sich mir die Gelegenheit gibt, meinem Eid eben in derselben Narrenweise genug zu tun. Ich bitte, wollet mich entschuldigen bei den mäßig Verständigen, denn der Überhochverständigen Gunst und Gnad weiß ich nicht zu verdienen, welche ich so oft mit großer Mühe gesucht habe, hinfort auch nicht mehr haben noch achten will. Gott helf uns, daß wir nicht unsre, sondern allein seine Ehre suchen. Amen.

Zu Wittenberg, im Augustinerkloster, am Abend Sankt Johannis Baptistae[4]. Im Tausendfünfhundertundzwanzigsten Jahr.

Der allerdurchlauchtigsten, großmächtigsten Kaiserlichen Majestät[5] und Christlichem Adel deutscher Nation,
D. Martinus Luther.

Gnade und Stärke von Gott zuvor, Allerdurchlauchtigster, gnädigste, liebe Herren. Es ist nicht aus lauter Fürwitz noch Frevel geschehen, daß ich einzelner armer Mensch mich unterstanden, vor euren hohen Würden zu

3. I. Kor. 3, 18.
4. 23. Juni.
5. Am 28. Juni 1519 wurde Karl V. zum Kaiser gewählt.

reden. Die Not und Beschwerung, die alle Stände der Christenheit, zuvor die deutschen Lande, drückt, hat nicht allein mich, sondern jedermann bewegt, vielmals zu schreien und Hilfe zu begehren, und hat mich auch jetzt gezwungen, zu schreien und zu rufen, ob Gott jemandem den Geist geben wolle, seine Hand zu reichen der elenden Nation. Es ist oft durch Konzilia etwas vorgebracht, aber durch etlicher Menschen List behendiglich verhindert und immer ärger geworden; welche Tück und Bosheit ich jetzt, Gott helf mir, zu durchleuchten gedenk, auf daß sie, erkannt, hinfort nicht mehr so hinderlich und schädlich sein könnten. Gott hat uns ein junges edles Blut zum Haupt gegeben, damit viel Herzen zu großer, guter Hoffnung erweckt; daneben will sich's ziemen, das Unsre dazu zu tun und der Zeit und Gnade nützlich zu brauchen.

Das erste, das in dieser Sache vornehmlich zu tun ist, ist, daß wir uns stets vorsehen mit großem Ernst und nicht etwas anheben im Vertrauen auf große Macht oder Vernunft, wenn gleich aller Welt Gewalt unser wäre; denn Gott kann und will's nicht dulden, daß ein gut Werk werde angefangen im Vertrauen auf eigene Macht und Vernunft. Er stößet es zu Boden, dagegen hilft nichts, wie im 33. Psalm (V. 16) steht: „Es wird kein König bestehen durch seine große Macht und kein Herr durch die Größe seiner Stärke." Und aus diesem Grunde, sorge ich, ist es vorzeiten gekommen, daß die teuren Fürsten, Kaiser Friedrich der Erste[6] und der andere[7], und viel mehr deutscher Kaiser, so jämmerlich sind von den Päpsten mit Füßen getreten und bedrückt worden, vor welchen sich doch die Welt fürchtete. Sie haben sich vielleicht ver-

6. Barbarossa (1152—90); unter seinen mannigfachen Gegnern ragte die Kurie hervor.
7. 1215—50, König von Sizilien, römischer Kaiser; ursprünglich von den Päpsten als politisches Mittel zum Kaiser erhoben, hat er seine Macht gegen sie zu befestigen und zu behaupten gewußt.

lassen auf ihre Macht mehr denn auf Gott, drum haben sie müssen fallen. Und was hat zu unseren Zeiten den Blutsäufer Julium secundum[8] so hoch erhoben, wenn nicht, wie ich fürchte, daß Frankreich, die Deutschen und Venedig haben auf sich selbst gebaut. Es schlugen die Kinder Benjamin zweiundvierzigtausend Israeliten, darum, daß sie sich auf ihre Stärke verließen. Judicum 19[9].

Daß es uns nicht auch so gehe mit diesem edlen Blut Carolo, müssen wir uns dessen bewußt sein, daß wir in dieser Sache nicht mit Menschen, sondern mit den Fürsten der Hölle handeln, die wohl können mit Krieg und Blutvergießen die Welt erfüllen, aber sie lassen sich damit nicht überwinden. Man muß hier mit einem Verzagen an leiblicher Gewalt, in demütigem Vertrauen auf Gott die Sache angreifen und mit ernstlichem Gebet Hilfe bei Gott suchen und nichts anderes sich vor Augen stellen denn der elenden Christenheit Jammer und Not, unangesehen das, was böse Leute verdienet haben. Wenn das nicht geschieht, so wird sich das Spiel wohl lassen anfangen mit großem Schein, aber wenn man hineinkommt, werden die bösen Geister eine solche Irrung anrichten, daß die ganze Welt muß im Blut schweben und dennoch wäre damit nichts ausgerichtet; darum laßt uns hier mit Furcht Gottes und weislich handeln. Je größer die Gewalt, desto größer das Unglück, wenn nicht in Gottes Furcht und Demut gehandelt wird. Haben die Päpste und Römer können bisher durch des Teufels Hilfe die Könige ineinander verwirren, so können sie's auch jetzt noch wohl tun, wenn wir ohn Gottes Hilf mit unsrer Macht und Kunst vorgehen.

8. Papst Julius II., 1503—13. Er war der Urheber oder beteiligt bei den schweren Niederlagen, die sich Venedig, Kaiser Maximilian und Frankreich gegenseitig bereiteten. Vgl. Anm. 146, S. 85.
9. Richter 20, 21. 25.

Die Romanisten[10] *haben drei Mauern* mit großer Schlauheit *um sich gezogen,* mit denen sie sich bisher geschützt, so daß sie niemand hat können reformieren, wodurch die ganze Christenheit greulich gefallen ist. *Zum ersten:* Wenn man sie bedrängt hat mit weltlicher Gewalt, haben sie behauptet und gesagt, weltliche Gewalt habe kein Recht über sie, sondern im Gegenteil: geistliche sei über die weltliche[11]. *Zum andern:* Hat man sie mit der Heiligen Schrift wollen strafen, setzen sie dagegen: es gebühre die Schrift niemandem auszulegen denn dem Papst[12]. *Zum dritten:* dreuet man ihnen mit einem Konzilio, so erdichten sie, es könne niemand ein Konzilium berufen denn der Papst[13]. So haben sie die drei Ruten uns heimlich gestohlen, damit sie ungestraft bleiben könnten, und haben sich in die sichere Festung dieser drei Mauern gesetzt, alle Büberei und Bosheit zu treiben, die wir denn jetzt sehen; und wenn sie schon ein Konzilium mußten machen, haben sie doch dasselbe zuvor matt gemacht damit, daß sie die Fürsten zuvor mit Eiden verpflichteten, sie bleiben zu lassen, wie sie sind, dazu dem Papst volle Gewalt zu geben über alle Ordnung des Konziliums, so daß es gleich ist, ob es viele Konzilia gibt oder keine Konzilia, unangesehen, daß sie sowieso nur mit Larven und Spiegelfechtereien betrügen — mit solchem Grauen fürchten sie für ihre Haut vor einem rechten, freien Konzilio. Und haben damit Könige und Fürsten schüchtern gemacht, daß sie glauben, es wäre wider Gott, wenn man ihnen nicht gehorchte in all solchen boshaften, listigen Gespenstereien.

Nun helf' uns Gott und geb' uns der Posaunen eine,

10. Die Verfechter der rechtlichen Vorrangstellung der römischen Kurie bzw. des Papstes.

11. Z. B. in der berühmten Bulle „unam sanctam" Bonifaz' VIII. (1302). Vgl. S. 17 ff.

12. Vgl. S. 21 ff.

13. Vgl. S. 24 ff.

damit die Mauern Jerichos wurden umgeworfen[14], daß wir diese strohernen und papieren Mauern auch umblasen und die christlichen Ruten, Sünd zu strafen, los machen, des Teufels List und Trug an den Tag zu bringen, auf daß wir durch Straf uns bessern und seine Huld wieder erlangen.

Wollen die erste Mauer am ersten angreifen.

Man hat's erfunden, daß Papst, Bischöfe, Priester, Klostervolk wird der geistliche Stand genannt, Fürsten, Herren, Handwerks- und Ackerleut der weltlich Stand, welches gar ein fein Comment[15] und Gleißen ist; doch soll niemand darüber schüchtern werden und das von Herzensgrund. Denn alle Christen sind in Wahrheit geistlichen Standes und ist unter ihnen kein Unterschied denn des Amtes halben allein, wie Paulus I. Kor. 12 (12ff.) sagt, daß wir allesamt ein Körper sind, doch ein jeglich Glied sein eigen Werk hat, mit dem es den anderen dienet. Das rührt alles daher, daß wir eine Taufe, ein Evangelium, einen Glauben haben und sind gleiche Christen; denn die Taufe, Evangelium und Glauben, die machen allein geistlich und Christenvolk. Daß aber der Papst oder Bischof salbet, Platten machet[16], ordiniert, weihet, anders denn Laien kleidet, kann einen Gleisner und Ölgötzen[17] machen, macht aber nimmermehr einen Christen oder geistlichen Menschen. Demnach werden wir also allesamt durch die Taufe zu Priestern geweihet, wie Sankt Peter I. Petr. 2 (9) sagt: „Ihr seid ein königlich Priestertum und ein priesterlich Königreich." Und Apok. (5, 10): „Du hast uns gemacht durch dein Blut zu Priestern und Königen." Denn wenn nicht eine höhere Weihe in uns wäre, als der Papst oder Bischof gibt, so würde nimmermehr durch des Papsts

14. Jos. 6, 20.
15. Lüge.
16. Tonsur; hier Bild für Übertragung geistlicher Ämter.
17. Spottwort für gesalbte Priester.

und Bischofs Weihe ein Priester gemacht, könnte auch weder Messe halten noch predigen, noch absolvieren[18].

Drum ist des Bischofs Weihe nichts anderes, als wenn er an Stelle und im Namen der ganzen Versammlung einen aus dem Haufen nehme, die alle gleiche Gewalt haben, und ihm befehle, dieselbe Gewalt für die anderen auszurichten; gleich als wenn zehn Brüder, Königskinder, gleiche Erben, einen erwählten, das Erbe für sie zu regieren; sie wären stets alle Könige und gleicher Gewalt, und doch wird einem befohlen zu regieren. Und daß ich's noch klarer sage: Wenn ein Häuflein frommer christlicher Laien würde gefangen und in eine Wüstenei gesetzt, die nicht bei sich hätten einen von einem Bischof geweihten Priester und würden allda der Sachen einig, erwählten einen unter ihnen, er wäre ehelich oder nicht, und würden ihm das Amt, zu taufen, Messe zu halten, zu absolvieren und zu predigen, befehlen, der wäre in Wahrheit ein Priester, als ob ihn alle Bischöfe und Päpste hätten geweihet. Daher kommt's, daß in der Not ein jeglicher taufen und absolvieren kann, was nicht möglich wäre, wenn wir nicht alle Priester wären. Solche große Gnade und Gewalt der Taufe und des christlichen Standes haben sie uns durchs geistliche Recht[19] ganz zunichte und unbekannt gemacht. Auf diese Weise erwählten vorzeiten die Christen aus dem Haufen ihre Bischöfe und Priester, die danach wurden von andren Bischöfen bestätiget, ohn alles Prangen, das jetzt regiert. So ward Sankt Augustin[20], Ambrosius[21], Cyprianus[22] Bischof.

18. Von Sünden lossprechen; das Bußsakrament spenden.

19. Damit meint L. hier meist die Sammlungen kirchlicher Rechtsbestimmungen, wie sie das Corpus iuris canonici enthielt; an ihm wurde am 10. Dezember 1520 vor dem Elstertor in Wittenberg das Feuergericht vollzogen.

20. S. Anm. 31, S. 167.

21. Gest. 397, Bischof von Mailand; von den Mailänder Christen spontan zum Bischof gewählt.

22. Bischof von Karthago, gest. 258; nahm erst auf Drängen des Volkes die Bischofswahl an.

Dieweil denn nun die weltliche Gewalt ist gleicherweise wie wir getauft, hat denselben Glauben und das Evangelium, so müssen wir sie lassen Priester und Bischöfe sein und ihr Amt rechnen als ein Amt, das da gehöre und nützlich sei der christlichen Gemeinde. Denn was aus der Taufe krochen ist, das kann sich rühmen, daß es schon zum Priester, Bischof und Papst geweihet sei, obwohl nicht einem jeglichen ziemt, solches Amt zu üben. Denn weil wir alle gleicherweise Priester sind, darf sich niemand selbst hervortun und sich unterwinden, ohn unser Bewilligen und Erwählen das zu tun, wozu wir alle gleiche Gewalt haben. Denn was der Gemeinde gehört, kann niemand ohne der Gemeinde Willen und Befehle an sich nehmen. Und wo es geschähe, daß jemand zu solchem Amt erwählt und durch seinen Mißbrauch abgesetzt würde, so wäre er gleich wie vorhin. Drum sollt' ein Priesterstand nicht anders sein in der Christenheit denn wie ein Amtmann; solange er im Amt ist, geht er vor; wenn er abgesetzt ist, ist er ein Bauer oder Bürger wie die andern. Ebenso ist ein Priester in Wahrheit kein Priester mehr, wenn er abgesetzt wird. Aber nun haben sie erdichtet characteres indelébiles[23] und schwätzen, daß ein abgesetzter Priester dennoch etwas anderes sei als ein schlichter Laie. Ja, sie träumen, es könne ein Priester nimmermehr anderes denn Priester oder ein Laie werden. Das sind alles von Menschen erdichtete Reden und Gesetze.

So folget aus diesem, daß Laien, Priester, Fürsten, Bischöfe und wie sie sagen, Geistliche und Weltliche, wahrhaftig letztlich keinen anderen Unterschied haben denn des Amtes oder Werkes halben und nicht des Standes halben; denn sie sind alle geistlichen Standes, wirklich Priester, Bischöfe und Päpste, aber nicht gleichen,

---

23. Character indelebilis ist die untilgbare veränderte Qualität, die nach katholischer Auffassung die Priester- und Bischofsweihe verleiht.

einheitlichen Werkes, gleichwie auch unter den Priestern und Mönchen nicht ein jeglicher dasselbe Werk zu tun hat. Und das steht Sankt Paul Röm. 12 (4 ff.) und I. Kor. 12 (12 ff.) und I. Petr. 2 (9), wie ich droben gesagt, daß wir alle ein Körper sind des Hauptes Jesu Christi, ein jeglicher des anderen Gliedmaß. Christus hat nicht zwei, noch zweierlei Art Körper, einer weltlich, der andere geistlich. Ein Haupt ist und einen Körper hat er.

Gleichwie nun die, so man jetzt geistlich heißt oder Priester, Bischöfe oder Päpste, sind von den anderen Christen nicht weiter noch würdiger unterschieden, denn daß sie das Wort Gottes und die Sakramente sollen wahrnehmen, das ist ihr Werk und Amt, so hat die weltliche Obrigkeit das Schwert und die Ruten in der Hand, die Bösen damit zu strafen, die Frommen zu schützen. Ein Schuster, ein Schmied, ein Bauer, ein jeglicher hat seines Handwerks Amt und Werk, und dennoch sind sie alle gleich geweihte Priester und Bischöfe, und ein jeglicher soll mit seinem Amt oder Werk den anderen nützlich und dienstlich sein, auf daß so vielerlei Werke alle auf eine Gemeinde gerichtet seien, Leib und Seele zu fördern, gleichwie die Gliedmaße des Körpers alle eins dem andern dienen.

Nun sieh, wie christlich das behauptet und gesagt ist, weltliche Obrigkeit sei nicht über die Geistlichkeit, soll sie auch nicht strafen. Das heißt ebensoviel wie: die Hand soll nichts dazu tun, wenn das Auge große Not leidet. Ist's nicht unnatürlich, um nicht zu sagen unchristlich, daß ein Glied dem anderen nicht helfen, seinem Verderben nicht wehren soll? Ja, je edler das Gliedmaß ist, je mehr die andern ihm helfen sollen. Drum sag ich: dieweil weltliche Gewalt von Gott geordnet ist, die Bösen zu strafen und die Frommen zu schützen, so soll man ihr Amt lassen frei gehen ungehindert durch den ganzen Körper der Christenheit, ohne Rücksicht auf irgend jemand, sie treffe Papst, Bischof, Pfaffen, Mönche, Nonnen oder was es ist. Wenn dies nun genügte, die weltliche Gewalt zu hindern, daß sie geringer ist unter den christlichen Ämtern denn der Prediger und Beichtiger Amt oder der geistliche Stand, so sollt' man auch die Schneider, Schuster, Steinmetzen, Zimmerleute, Köche, Kellermeister, Bauern und alle weltlichen Handwerker hindern, daß sie weder dem Papst, Bischöfen, Priestern, Mönchen Schuhe, Kleider, Haus, Essen, Trinken machten noch Zins geben. Lässet man aber die Werke dieser Laien unbehindert geschehen, warum bewirken denn die römischen Schreiber mit ihren Gesetzen, daß sie sich entziehen der Wirkung weltlicher christlicher Gewalt, auf daß sie nur frei könnten böse sein und erfüllen, was Sankt Peter gesagt hat: „Es werden falsche Meister unter euch erstehen und mit falschen, erdichteten Worten mit euch umgehen, euch im Sack zu verkaufen[24]."

Drum soll weltliche christliche Gewalt ihr Amt üben frei ungehindert, unangesehen, ob es der Papst, ein Bischof oder Priester sei, den sie trifft. Wer schuldig ist, der leide. Was geistlich Recht dawider gesagt hat, ist lauter erdichtete römische Vermessenheit. Denn so sagt Sankt Paul allen Christen: „Ein jegliche Seele (ich halte dafür, des Papstes auch) soll untertan sein der Obrigkeit, denn sie trägt nicht umsonst das Schwert; sie dienet Gott damit zur Straf der Bösen und zu Lob den Frommen[25]." Auch Sankt Petrus: „Seid untertan allen menschlichen Ordnungen um Gottes willen, der es so haben will." Er hat's auch vorhergesagt, daß kommen würden solche Menschen, die die weltliche Obrigkeit würden verachten, 2. Petr. 2 (10), wie denn geschehen ist durch das geistliche Recht.

Also meine ich, diese erste Papiermauer liege danieder, sintemal weltliche Herrschaft ist ein Glied geworden

24. II. Petr. 2, 1. 3.
25. Röm. 13, 1 ff.

18

des christlichen Körpers; und wiewohl sie ein leibliches Werk hat, doch geistlichen Standes ist, soll darum ihr Werk frei ungehindert gehen über alle Gliedmaßen des ganzen Körpers, strafen und überführen, wo es die Schuld verdient oder Not erfordert, unangesehen Papst, Bischof, Priester; sie mögen dräuen oder bannen, wie sie wollen. Daher kommt's, daß die schuldigen Priester, wenn man sie dem weltlichen Recht überantwortet, zuvor entkleidet werden der priesterlichen Würde, was doch nicht recht wäre, wenn nicht zuvor auf Grund göttlicher Ordnung das weltliche Schwert über dieselben Gewalt hätte. Es ist auch zuviel, daß man im geistlichen Recht so hoch hebt der Geistlichen Freiheit, Leib und Güter, gerade als wären die Laien nicht ebenso geistliche gute Christen wie sie oder als gehörten sie nicht zur Kirche. Warum ist dein Leib, Leben, Gut und Ehre so frei und nicht das meine, obgleich wir doch in gleicher Weise Christen sind, Taufe, Glauben, Geist und alle Dinge gleich haben? Wird ein Priester erschlagen, so liegt ein Land im Interdikt[26]; warum nicht auch, wenn ein Bauer erschlagen wird? Wo kommt her solch großer Unterschied unter den gleichen Christen? Allein aus menschlichen Gesetzen und Erdichtungen.

Es kann auch kein guter Geist sein, der solche Ausnahme erfunden und die Sünde frei und unsträflich gemacht hat. Denn wenn wir schuldig sind, wider den bösen Geist, seine Werke und Worte zu streiten und ihn zu vertreiben, soweit wir können, wie uns Christus gebeut und seine Apostel, wie kämen wir dann dazu, daß wir sollten stillhalten und schweigen, wenn der Papst oder die Seinen teuflisch Wort oder Werk planen? Sollten wir um der Menschen willen göttliches Gebot und Wahrheit lassen zunichte machen, der wir in der Taufe geschworen haben, beizustehen mit Leib und Leben? Fürwahr, wir

26. Vom Papst oder Bischof angeordnetes Verbot der Mehrzahl kirchlicher Feierlichkeiten oder Handlungen.

wären schuldig aller Seelen, die dadurch verlassen und verführet würden. Drum muß das der Hauptteufel selbst gesagt haben, was im geistlichen Recht steht: „Wenn der Papst so schädlich böse wäre, daß er gleichsam die Seelen in großen Haufen zum Teufel führte, so könnte man ihn dennoch nicht absetzen[27]." Auf diesem verfluchten teuflischen Grund bauen sie zu Rom und meinen, man solle eher alle Welt zum Teufel lassen fahren, denn ihrer Büberei widerstreben. Wenn das eine zureichende Begründung wäre, er dürfe deshalb nicht bestraft werden, weil er einer ist, der über den andern gesetzt ist, so dürfte kein Christ den anderen strafen; sintemal Christus gebeut, ein jeglicher soll sich für den Untersten und Geringsten halten[28].

Wo Sünde ist, da ist schon keine Ausflucht mehr vor der Strafe, wie auch Sankt Gregorius[29] schreibt, daß wir wohl alle gleich sind, aber die Schuld mach' den einen dem anderen untertan. Nun sehen wir, wie sie mit der Christenheit umgehen: nehmen sich die Freiheit[30], ohne jeden Beweis aus der Schrift, mit Selbstanmaßung, die [doch] Gott und die Apostel haben unterworfen dem weltlichen Schwert, so daß zu besorgen ist, es sei des Antichrists[31] Spiel oder sein unmittelbares Vorspiel.

Die andere Mauer ist noch unbegründeter und unwirksamer: daß sie allein wollen Meister der Schrift sein, obschon sie ihr Leben lang nichts drin lernen, maßen sich allein die Obrigkeit an, gaukeln uns vor mit unverschämten Worten, der Papst könne nicht irren im Glauben, er sei böse oder fromm; können dafür keinen Buchstaben aufweisen. Daher kommt es, daß soviel ketze-

27. Eine Bestimmung des 1. Teils des Corp. iur. can.
28. Matth. 18, 4. Luk. 9, 48.
29. Angeblich Gregor der Erleuchter, armenischer Katholikos (Patriarch), um 300.
30. L.: nemen yhn d. fr.: reflexiv!
31. Der Antichrist ist nicht nur der gegen Christus Kämpfende, sondern vielmehr der sich an seine Stelle Setzende.

rische und unchristliche, ja unnatürliche Gesetze stehen im geistlichen Recht, davon jetzt nicht not zu reden. Denn dieweil sie dafür halten, der Heilige Geist verlasse sie nicht, sie seien so ungelehrt und böse wie sie können, werden sie kühn zusetzen, was sie nur wollen. Und wenn dem so wäre, wozu wäre die Heilige Schrift not oder nütze? Lasset sie uns verbrennen und uns genügen an den ungelehrten Herren zu Rom, die der Heilige Geist innehat, der doch nichts denn fromme Herzen kann innehaben. Wenn ich's nicht gelesen hätte, wäre mir's unglaublich gewesen, daß der Teufel sollte zu Rom solch ungeschickte Dinge vorwenden und Anhang gewinnen.

Doch, damit wir nicht mit Worten wider sie fechten, wollen wir die Schrift herbringen. Sankt Paul spricht I. Kor. 14 (30): „So jemand etwas Besseres offenbart wird, obgleich er schon sitzt und dem anderen zuhöret im Gotteswort, so soll der erste, der da redet, stillschweigen und weichen." Was wäre dieses Gebot nutz, wenn allein dem zu glauben wäre, der da redet oder obenan sitzt? Auch Christus sagt Johann. 6 (45), daß alle Christen sollen gelehrt werden von Gott. So kann es immer geschehen, daß der Papst und die Seinen böse sind und nicht rechte Christen sind, noch von Gott gelehret, rechten Verstand haben, dagegen ein geringer Mensch den rechten Verstand hat. Warum sollte man ihm dann nicht folgen? Hat nicht der Papst vielmal geirret? Wer wollte der Christenheit helfen, wenn der Papst irret, wofern nicht einem anderen mehr denn ihm geglaubt wird, der die Schrift für sich hätte?

Darum ist es eine frech erdichtete Fabel, und sie können auch keinen Buchstaben dafür aufbringen, mit dem sie bewehren, daß es des Papstes allein sei, die Schrift auszulegen oder ihre Auslegung zu bestätigen. Sie haben sich die Gewalt selbst genommen. Und wenn sie vorgeben, es wäre Sankt Peter die Gewalt gegeben, da ihm die Schlüssel wurden gegeben[32], ist's deutlich genug, daß die Schlüssel nicht allein Sankt Petro, sondern der ganzen Gemeinde gegeben sind, dazu sind die Schlüssel nicht in bezug auf die Lehre oder das Regiment, sondern allein dazu angeordnet, die Sünde zu binden oder zu lösen; und es ist eitel erdichtet Ding, was sie anders und weiter aus den Schlüsseln sich zuschreiben. Daß aber Christus sagt zu Petro: „Ich habe für dich gebeten, daß dein Glaube nicht zergehe[33]", kann sich nicht erstrecken auf den Papst, sintemal das mehrere Teil der Päpste ohn Glauben gewesen ist, wie sie selbst bekennen müssen; ebenso hat Christus auch nicht allein für Petrus gebeten, sondern auch für alle Apostel und Christen, wie er sagt Johann. 17 (9. 20): „Vater, ich bitte für sie, die du mir gegeben hast, und nicht allein für sie, sondern für alle, die durch ihr Wort glauben an mich." Ist das nicht klar genug geredet?

Denk doch bei dir selbst: sie müssen bekennen, daß fromme Christen unter uns sind, die den rechten Glauben, Geist, Verstand, Wort und Meinung Christi haben. Ja, warum sollte man denn derselben Wort und Verstand verwerfen und dem Papst folgen, der nicht Glauben noch Geist hat? Das hieße doch den ganzen Glauben und die christliche Kirche verleugnen! Item: es muß nicht immer allein der Papst recht haben, wenn der Artikel recht ist: Ich glaube eine heilige christliche Kirche. Oder sie müssen so beten: Ich glaube an den Papst zu Rom, und so die christliche Kirche ganz in einen Menschen ziehen, welches nichts anderes denn teuflischer und höllischer Irrtum wäre.

Überdies sind wir alle Priester, wie droben gesagt ist, haben alle einen Glauben, ein Evangelium, einerlei Sakrament. Wie sollten wir denn nicht auch Vollmacht haben, zu schmecken und zu urteilen, was da Recht oder

32. Matth. 16, 19.
33. Luk. 22, 32.

22

Unrecht im Glauben wäre? Wo bleibt das Wort Pauli, 1. Kor. 2 (15): „Ein geistlicher Mensch richtet alle Dinge und wird von niemandem gerichtet", und II. Kor. 4 (13): „Wir haben alle einen Geist des Glaubens"? Wie sollten wir denn nicht so gut wie ein ungläubiger Papst fühlen, was dem Glauben gemäß oder nicht gemäß ist? Aus diesem allen und vielen anderen Sprüchen sollen wir mutig und frei werden und den Geist der Freiheit, wie ihn Paulus nennet, nicht lassen mit erdichteten Worten der Päpste abschrecken, sondern frisch hindurch alles, was sie tun oder lassen, nach unserem gläubigen Verstand der Schrift richten und sie zwingen, zu folgen dem besseren und nicht dem eigenen Verstand. Mußte doch vorzeiten Abraham seine Sara hören[34], die doch ihm härter unterworfen war denn wir jemandem auf Erden; ebenso war die Eselin Balaams auch klüger denn der Prophet selbst[35]. Hat Gott da durch eine Eselin geredet gegen einen Propheten, warum sollte er nicht erst recht reden können durch einen frommen Menschen gegen den Papst? Item: Sankt Paul straft Sankt Peter als einen irrigen, Gal. 2 (11ff.). Drum gebührt einem jeglichen Christen, daß er sich des Glaubens annehme, ihn zu verstehen und zu verfechten und alle Irrtümer zu verdammen.

Die dritte Mauer fällt von selbst, wenn diese ersten zwei fallen; denn wenn der Papst wider die Schrift handelt, sind wir schuldig, der Schrift beizustehen, ihn zu strafen und zu zwingen nach dem Wort Christi Matth. 18 (15): „Sündiget dein Bruder wider dich, so geh hin und sage ihm zwischen dir und ihm allein; höret er dich nicht, so nimm noch einen oder zween zu dir, höret er die nicht, so sag es der Gemeine, höret er die Gemeine nicht, so behandele ihn wie einen Heiden." Hier wird befohlen einem jeglichen Glied, für das andere

34. I. Mose 21, 12.
35. IV. Mose 22, 28.

zu sorgen. Wieviel mehr sollen wir dazu tun, wenn ein die Gemeinde regierendes Glied übel handelt, welches durch seinen Handel viel Schaden und Ärgernis gibt den anderen. Soll ich ihn denn verklagen vor der Gemeine, so muß ich sie ja zusammenbringen.

Sie haben auch keinen Grund aus der Schrift, daß allein dem Papst gebühre, ein Konzilium zu berufen oder zu bestätigen, sondern allein ihre eigenen Gesetze, die nicht weiter gelten, als sofern sie nicht schädlich sind der Christenheit und Gottes Gesetzen. Wenn nun der Papst sträflich handelt, hören solche Gesetze schon auf, dieweil es schädlich ist der Christenheit, ihn nicht zu strafen durch ein Konzilium.

So lesen wir Apg. 15 (6), daß der Apostel Konzilium nicht Sankt Peter hat berufen, sondern alle Apostel und die Ältesten. Wenn nun Sankt Peter das allein hätte gebührt, wäre das nicht ein christlich Konzilium, sondern ein ketzerisch Konziliabulum gewesen. Auch das berühmteste Konzilium Nizänum[36] hat der Bischof zu Rom weder berufen noch bestätigt, sondern der Kaiser Konstantinus, und nach ihm haben viel andere Kaiser desselbengleichen getan, die doch die allerchristlichsten Konzilia gewesen sind. Aber sollte der Papst allein die Gewalt haben, so müßten sie alle ketzerisch gewesen sein. Auch wenn ich ansehe die Konzilia, die der Papst gemacht hat, find ich nichts Besonderes, das drinnen ist ausgerichtet.

Darum, wenn es die Not fordert und der Papst der Christenheit ein Ärgernis gibt, soll dazu tun, wer am ersten kann, als ein treues Glied des ganzen Körpers, daß ein rechtes freies Konzilium werde; welches niemand so wohl vermag wie das weltliche Schwert, sonderlich dieweil sie nun auch Mitchristen sind, Mitpriester, mitgeistlich, mitmächtig in allen Dingen, und sollen ihr Amt und Werk, das sie von Gott haben, über jedermann las-

36. Im Jahre 325.

24

sen frei wirken, wenn es not und nütze ist zu wirken. Wäre das nicht ein unnatürliches Vornehmen, wenn ein Feuer in einer Stadt aufginge und jedermann würde still stehen, brennen lassen für und für, was da brennen mag, allein darum, daß sie nicht die Macht des Bürgermeisters haben oder das Feuer vielleicht an des Bürgermeisters Haus anhebt? Ist nicht hier ein jeglicher Bürger schuldig, die anderen zu bewegen und zu rufen? Wieviel mehr soll das in der geistlichen Stadt Christi geschehen, wenn ein Feuer des Ärgernisses sich erhebt, es sei an des Papstes Regiment oder wo es wolle. Desselbengleichen geschieht auch, wenn die Feinde eine Stadt überfielen; da verdienet der Ehr und Dank, der die anderen am ersten aufruft. Warum sollte denn der nicht Ehre verdienen, der die höllischen Feinde ausspäht und die Christen erweckt und aufruft!

Daß sie aber ihre Gewalt rühmen, der zu widerstehen sich nicht zieme, so heißt das gar nichts. Es hat niemand in der Christenheit Gewalt, Schaden zu tun oder zu verbieten, Schaden zu wehren. Es ist keine Gewalt in der Kirche, denn nur zur Besserung. Drum wenn sich der Papst wollte der Gewalt bedienen, zu wehren, ein frei Konzilium zu machen, damit verhindert würde die Besserung der Kirche, so sollen wir ihn und seine Gewalt nicht ansehen, und wenn er bannen und donnern würde, sollte man das verachten als eines tollen Menschen Vornehmen und ihn im Vertrauen auf Gott im Gegenteil bannen und treiben, wie man kann; denn solche seine vermessene Gewalt[37] ist nichts, er hat sie auch nicht, und wird bald mit einem Spruch der Schrift zunichte gemacht; denn Paulus an die Korinther (II, 10, 8) sagt: „Gott hat uns Gewalt gegeben, nicht zu verderben, sondern zu bessern." Wer will über diesen Spruch hüpfen? Des Teufels und Antichrists Gewalt ist es, die da

37. In der ganzen Schrift meist nicht im Sinne von tatsächlicher Macht, sondern von „Vollmacht" zu verstehen.

wehret, was zur Besserung dienet der Christenheit; darum ihr gar nicht zu folgen, sondern zu widerstehen ist, mit Leib, Gut und allem, was wir vermögen.

Und wenngleich ein Wunderzeichen für den Papst wider die weltliche Gewalt geschähe oder jemand eine Plage widerführe, wie sie rühmen, daß etliche Male geschehen sei, soll man dasselbe nicht anders ansehen, denn als durch den Teufel geschehen um unseres mangelnden Glaubens an Gott willen, wie dasselbe Christus verkündigt hat Matth. 24 (24): „Es werden kommen in meinem Namen falsche Christi und falsche Propheten, Zeichen und Wunder tun, daß sie auch die Auserwählten möchten verführen", und Sankt Paulus sagt den Thessalonichern (II, 2, 9 ff.), daß der Antichrist werde durch Satan mächtig sein in falschen Wunderzeichen.

Drum lasset uns das festhalten: christliche Gewalt vermag nichts wider Christum, wie Sankt Paul sagt: „Wir vermögen nichts wider Christum, sondern für Christus zu tun[38]." Tut sie aber etwas wider Christum, so ist sie des Antichrists und Teufels Gewalt, und sollte sie Wunder und Plagen regnen und hageln; Wunder und Plagen beweisen nichts, sonderlich in dieser letzten ärgsten Zeit, von welcher falsche Wunder verkündet sind in aller Schrift; drum müssen wir uns an die Worte Gottes halten mit festem Glauben, so wird der Teufel seine Wunder wohl lassen.

Hiermit hoff ich, wird das falsche lügenhafte Schrekken, damit uns nun lange Zeit die Römer haben schüchterne und blöde Gewissen gemacht, darniederliegen. Und daß sie mit uns allen in gleicher Weise dem Schwert unterworfen sind, die Schrift nicht Macht haben, auszulegen durch lauter Gewalt ohn Kunst[39], und keine Gewalt haben, ein Konzilium zu verhindern oder nach ihrem Mutwillen es einzuschränken, zu verpflichten und

38. Vgl. II. Kor. 13, 8.
39. Verständnis, Können.

ihm seine Freiheit zu nehmen, und wenn sie das tun, daß sie wahrhaftig des Antichrists und Teufels Gemeinschaft sind, nichts von Christo denn den Namen haben.

Nun wollen wir sehen die Stücke, die man billigerweise in den Konzilien sollte verhandeln und mit denen Päpste, Kardinäle, Bischöfe und alle Gelehrten sollten billig Tag und Nacht umgehen, wenn sie Christum und seine Kirche lieb hätten. Wenn sie aber das nicht tun, daß der Haufe und das weltliche Schwert dazu tue, unangesehen ihr Bannen oder Donnern; denn ein unrechter Bann ist besser denn zehn rechte Absolutionen und eine unrechte Absolution ärger denn zehn rechte Bannsprüche. Drum lasset uns aufwachen, lieben Deutschen, und Gott mehr denn die Menschen fürchten, daß wir nicht mitschuldig werden an all den armen Seelen, die so kläglich durch das schändliche teuflische Regiment der Römer verloren werden; und täglich nimmt der Teufel mehr und mehr zu, wenn es überhaupt möglich ist, daß solch teuflisch Regiment könnte ärger werden; was ich doch nicht begreifen noch glauben kann.

Zum ersten ist's greulich und erschrecklich anzusehen, daß der Oberste in der Christenheit, der sich Christi Vicarius[40] und Sankt Peters Nachfolger zu sein rühmt, so weltlich und prächtiglich fährt, daß ihn darinnen kein König, kein Kaiser kann erlangen und gleich werden; und daß in dem, der „allerheiligst" und „geistlichst" sich läßt nennen, weltlicheres Wesen ist, denn die Welt selber ist. Er trägt die dreifaltige Krone, wo die höchsten Könige nur eine Krone tragen; gleicht das dem armen Christus und Sankt Peter, so ist's ein neu Gleichen. Man plärret, es sei ketzerisch, wenn man dawider redet; man will aber auch nicht hören, wie unchristlich und ungöttlich solch Wesen sei. Ich halt aber, wenn er beten mit Tränen sollte vor Gott, er müßte stets solche Kronen

40. Stellvertreter Christi (auf Erden); so bereits in der sog. konstantinischen Schenkung (8. Jh.); vgl. Anm. 96, S. 54.

ablegen, dieweil unser Gott keine Hoffart kann leiden. Nun sollte sein Amt nichts anderes sein denn täglich weinen und beten für die Christenheit und ein Exempel aller Demut vortragen.

Es sei wie ihm wolle: eine solche Pracht ist ärgerlich und der Papst bei seiner Seelen Seligkeit schuldig, sie abzulegen, darum, daß Sankt Paul sagt: „Enthaltet euch von allen Gebärden, die da ärgerlich sind[41]", und Röm. 12 (17): „Wir sollen Gutes zu tun uns befleißigen, nicht allein vor Gottes Augen, sondern auch vor allen Menschen." Es wäre dem Papst genug eine gewöhnliche Bischofskrone — mit Kunst[42] und Heiligkeit sollte er größer sein vor anderen — und die Krone der Hoffart dem Antichrist lassen, wie da getan haben seine Vorfahren vor etlichen hundert Jahren. Sie sprechen: er sei ein Herr der Welt; das ist erlogen, denn Christus, als dessen Statthalter und Amtmann er sich rühmet, sprach vor Pilatus: „Mein Reich ist nicht von dieser Welt[43]." Es kann niemals ein Statthalter weiter regieren denn sein Herr; er ist auch nicht ein Statthalter des erhöhten, sondern des gekreuzigten Christus, wie Paulus sagt: „Ich habe nichts bei euch wollen wissen denn Christum und denselben nur als Gekreuzigten[44]." Und Phil. 2 (5ff.): „So sollt ihr euch achten, wie ihr seht in Christo; der hat sich entledigt und eine knechtische Gebärde an sich genommen." Item I. Korinth. 1 (23): „Wir predigen Christum den Gekreuzigten." Nun machen sie den Papst zu einem Statthalter des erhöhten Christus im Himmel und haben etliche den Teufel so stark lassen in sich regieren, daß sie gehalten, der Papst sei über die Engel im Himmel und habe ihnen zu gebieten[45]; welches sind eigentlich die rechten Werke des rechten Antichrists.

41. I. Thess. 5, 22.   42. S. Anm. 39, S. 26.
43. Joh. 18, 36.   44. I. Kor. 2, 2.
45. So schon bei Gregor VII., ebenfalls Eugen IV. (gest. 1447).

Zum andern. Wozu ist das Volk nütze in der Christenheit, das da heißet die Kardinäl? Das will ich dir sagen. Welsch- und Deutschland haben viel reiche Klöster, Stifte, Lehen und Pfarren, die hat man nicht gewußt, besser gen Rom zu bringen, denn daß man Kardinäle macht und denselben die Bistümer, Klöster, Prälaturen zu eigen gebe und Gottes Dienst also zu Boden stieße. Drum sieht man jetzt, daß Welschland ganz wüst ist, Klöster zerstört, Bistümer verzehrt, Prälaturen und aller Kirchen Zinsen gen Rom gezogen, Städte verfallen, Land und Leute verdorben, wo kein Gottesdienst noch Predigt mehr vor sich geht. Warum? Die Kardinäle müssen die Güter haben, kein Türk hätte Welschland so können verderben und Gottes Dienst niederlegen.

Nun Welschland ausgesogen ist, kommen sie ins deutsche Land, heben fein säuberlich an. Aber sehen wir zu: das deutsche Land wird bald dem welschen gleich werden. Wir haben schon etliche Kardinäle; was die Römer dabei suchen, sollen die trunkenen Deutschen nicht verstehen, bis sie kein Bistum, Kloster, Pfarre, Lehen, Heller oder Pfennig mehr haben. Der Antichrist muß die Schätze der Erden heben, wie es prophezeit ist. Das geht so her: man schäumet oben ab von den Bistümern, Klöstern und Lehen. Und weil sie noch nicht alles wagen ganz verschwinden zu lassen, wie sie den Welschen getan haben, wenden sie dieweil solch heilige Verschlagenheit an, daß sie zehn oder zwanzig Prälaturen zusammenkoppeln und von jeglicher ein jährlich Stück reißen, daß doch eine Summa draus werde: Propstei zu Würzburg gibt tausend Gulden, die zu Bamberg auch etwas, Mainz, Trier und deren mehr; so könnte man ein Tausend Gulden oder zehn zusammenbringen, damit ein Kardinal sich einem reichen Könige gleich halte zu Rom.

Wenn wir nun das gewöhnt sind, so wollen wir dreißig oder vierzig Kardinäle auf einen Tag machen und einem geben den Mönchenberg zu Bamberg und das Bistum zu Würzburg dazu, dran gehängt etliche reiche Pfarren, bis daß Kirchen und Städte wüst sind — und danach sagen: wir sind Christi Vicarii und Hirten der Schafe Christi. Die tollen, vollen Deutschen müssen's wohl dulden.

Ich rat aber, daß man der Kardinäle weniger mache oder laß den Papst sie von seinem Gute nähren. Ihrer wäre übergenug an zwölf und ein jeglicher hätte des Jahres tausend Gulden Einkommen. Wie kommen wir Deutschen dazu, daß wir solch Räuberei, Schinderei unserer Güter von dem Papst leiden müssen? Hat das Königreich zu Frankreich sich dessen erwehret, warum lassen wir Deutschen uns so narren und äffen? Es wäre alles erträglicher, wenn sie das Gut allein uns so abstehlen würden: die Kirchen verwüsten sie damit und berauben die Schafe Christi ihrer frommen Hirten und legen den Dienst und das Wort Gottes darnieder; und wenn schon kein Kardinal wäre, die Kirche würde dennoch nicht versinken, denn sie tun nichts, das der Christenheit dienet, nur Geld- und Hadersachen um die Bistümer und Prälaturen treiben sie, was auch wohl ein jeglicher Räuber tun könnte.

Zum dritten: Wenn man des Papsts Hof ließ das hundertste Teil bleiben und tät ab neunundneunzig Teile, er wäre dennoch groß genug, Antwort zu geben in des Glaubens Sachen. Nun aber ist ein solch Gewurm und Geschwurm in dem Rom und alles rühmet sich päpstlich, daß zu Babylonien nicht ein solch Wesen gewesen ist. Es sind allein mehr denn dreitausend Papstschreiber; wer will die anderen Amtleute zählen, wenn der Ämter soviel sind, daß man sie kaum zählen kann, welche alle auf die Stifte und Lehen deutschen Landes warten wie Wölfe auf die Schafe. Ich bin der Ansicht, daß Deutschland jetzt weit mehr gen Rom gibt dem Papst denn vorzeiten den Kaisern. Ja, es meinen etliche, daß jährlich mehr denn dreimalhunderttausend Gulden aus Deutschland gen Rom kommen, rein vergebens und umsonst, wofür wir nichts denn Spott und Schmach erlangen; und wir verwundern uns noch, daß Fürsten, Adel, Städte, Stifte, Land und Leute arm werden; wir sollten uns verwundern, daß wir noch zu essen haben.

Dieweil wir denn hier in das rechte Spiel kommen, wollen wir ein wenig stillhalten und uns sehen lassen, wie die Deutschen nicht so ganz grobe Narren sind, daß sie von *römischer Praktik* gar nichts wissen oder verstehen. Ich klage hier nicht, daß zu Rom Gottes Gebot und christlich Recht verachtet ist; denn so wohl steht es jetzt nicht in der Christenheit, sonderlich zu Rom, daß wir über solche hohen Dinge klagen könnten. Ich klage auch nicht, daß das natürliche oder weltliche Recht und Vernunft nichts gilt. Es liegt alles noch tiefer im Grund. Ich klage, daß sie ihr eigenes, erdichtetes, geistliches Recht nicht halten, das doch an sich selbst mehr eine reine Tyrannei, Geizerei und zeitliche Pracht ist, denn ein Recht. Das wollen wir sehen.

Es haben vorzeiten deutsche Kaiser und Fürsten dem Papst bewilligt, die Annaten[46] auf alle Lehen deutscher Nation einzunehmen, das ist die Hälfte der Zinsen des ersten Jahres auf einem jeglichen Lehen: die Bewilligung aber ist so geschehen, auf daß der Papst durch solch großes Geld sollte sammeln einen Schatz, zu streiten wider die Türken und Ungläubigen, die Christenheit zu schützen, auf daß dem Adel nicht zu schwer würde, allein zu streiten, sondern die Priesterschaft auch etwas dazu täte.

46. Als Annaten sind von jeder vakanten Pfründe die Erträge eines Jahres (annus) an den Papst zu zahlen; unter Johann XXII. (gest. 1334) wurde der Betrag auf die Hälfte beschränkt. Die Vorstellung vom Ablaß und seiner Herkunft bzw. Bestimmung (ursprünglich: Erlassung der kirchlichen Bußstrafen für Krieger, die im Kampf gegen Ungläubige gefallen waren, dann für die Teilnehmer an diesen Kämpfen überhaupt, dann für die Geldgeber zu solchen Unternehmungen) wirkte offenbar zurück auf die von den Annaten.

Solchen guten, einfältigen, frommen Eifer der deutschen Nation haben die Päpste dazu gebraucht, daß sie bisher mehr den hundert Jahre solch Geld eingenommen und nun einen schuldigen, pflichtmäßigen Zins und Auflage draus gemacht und nicht allein nichts gesammelt haben, sondern darauf gestiftet viel Stände und Ämter zu Rom, die damit jährlich als aus einem Erbzins zu besolden sind. Wenn man nun wider die Türken zu streiten vorgibt, so senden sie heraus Botschaft, Geld zu sammeln, vielmals wird auch Ablaß herausgeschickt eben mit derselben Farbe, wider den Türken zu streiten, meinend, die tollen Deutschen sollen ewig Todstocknarren bleiben, nur immer Geld geben, ihrem unaussprechlichen Geiz genug zu tun, obgleich wir öffentlich sehen, daß weder von Annaten noch Ablaßgeld, noch allem anderen ein Heller wider den Türken kommt, sondern allzumal in den Sack, bei dem der Boden heraus ist. Sie lügen und trügen, setzen und machen mit uns Bündnisse, deren sie nicht ein Haar breit zu halten gedenken. Das muß darnach der heilige Name Christi und Sankt Petri alles getan haben.

Hier sollten nun die deutsche Nation, Bischöfe und Fürsten, sich auch für Christenleute halten und das Volk, das ihnen befohlen ist in leiblichen und geistlichen Gütern zu regieren und zu schützen, vor solchen reißenden Wölfen beschirmen, die sich unter den Schafskleidern darbieten als Hirten und Regierer. Und dieweil die Annaten so schimpflich mißbraucht werden, auch nicht gehalten wurde, was vereinbart war, sollen sie nicht zulassen, daß sie ihr Land und Leute so jämmerlich ohn alles Recht schinden und verderben, sondern durch ein kaiserliches oder der ganzen Nation Gesetz die Annaten draußen behalten oder im Gegenteil abschaffen. Denn dieweil sie nicht halten, was vereinbart ist, haben sie auch kein Recht zu den Annaten; ebenso sind die Bischöfe und Fürsten verpflichtet, solche Dieberei und

Räuberei zu strafen oder ihr jedenfalls zu wehren, wie das Recht fordert. Darinnen sollen die dem Papst beistehen und ihn stärken, der vielleicht solchem Unfug allein zu schwach ist, oder, wo er das wollte schützen und darauf bestehen, ihm als einem Wolf und Tyrannen wehren und widerstehen. Denn er hat keine Gewalt, Böses zu tun oder zu verfechten. Auch wenn man je wider die Türken wollte einen solchen Schatz sammeln, sollten wir billig dermaleinst gewitzigt sein und merken, daß die deutsche Nation denselben besser bewahren könnte denn der Papst, sintemal deutsche Nation selbst Volk genug hat zum Streit, wenn Geld vorhanden ist. Es ist mit den Annaten wie es mit manchem anderen römischen Vorgehen gewesen ist.

Item: Danach ist geteilt worden das Jahr zwischen dem Papst und den regierenden Bischöfen und Stiften, daß der Papst sechs Monate hat im Jahr, einen um den anderen, zu verleihen die Lehen, die in seinem Monat anfallen[47]; damit werden fast alle Lehen hinein gen Rom gezogen, sonderlich die allerbesten Pfründen und Dignitäten[48]. Und welche einmal so gen Rom fallen, die kommen danach niemals wieder heraus, auch wenn sie hinfort nicht mehr in des Papstes Monat anfallen; damit kommen die Stifte viel zu kurz, und es ist eine rechte Räuberei, die sich vorgenommen hat, nichts heraus zu lassen. Darum ist sie ganz überreif, und es ist hohe Zeit, daß man die Papstmonate ganz abschaffe und alles, was dadurch gen Rom gekommen ist, wieder herausreiße. Denn Fürsten und Adel sollen darüber wachen, daß das gestohlene Gut werde wiedergegeben, die Diebe gestraft und die, die ihres Urlaubs mißbrauchen, des Urlaubs beraubt werden. Hält und gilt es, wenn der Papst des

---

47. Die sog. Reservationen; hervorragender Verhandlungsgegenstand der Reformkonzilien.
48. = Würden; speziell: Hohe Kirchenämter mit eigentlicher richterlicher Gewalt.

anderen Tags nach seiner Erwählung Regel und Gesetz macht in seiner Kanzlei, wodurch unsere Stifte und Pfründen geraubt werden, wozu er kein Recht hat, so soll es vielmehr gelten, wenn der Kaiser Karolus des anderen Tags nach seiner Krönung Regel und Gesetz gibt[49], in ganz Deutschland kein Lehen und Pfründe mehr gen Rom kommen zu lassen durch des Papstes Monat, und, was hineingekommen ist, wieder frei werde und von dem römischen Räuber erlöst — wozu er das Recht hat, von wegen seines Schwertamtes.

Nun hat der römische Geiz und Raubstuhl nicht können die Zeit erwarten, daß durch den Papstmonat alle Lehen hineinkämen, eines nach dem anderen, sondern eilet nach seinem unersättlichen Wanst, daß er sie alle aufs kürzeste hineinreiße. Und hat über die Annaten und Monate hinaus einen solchen Fund erdacht, daß die Lehen und Pfründen nach dreierlei Weise zu Rom behalten werden.

Zum ersten: wenn der, der eine freie Pfründe hat, zu Rom oder auf dem Wege dorthin stirbt, so muß dieselbe ewig eigen bleiben des römischen, räuberischen Stuhls, sollte ich sagen; und wollen dennoch nicht Räuber heißen, obgleich solche Räuberei niemand je gehöret noch gelesen hat.

Zum andern: Wenn der, der ein Lehen hat oder überkommt, der zu des Papstes oder der Kardinäle Gesinde[50] gehört, oder, wenn er zuvor ein Lehen hat und danach zu des Papstes oder eines Kardinals Gesinde wird. Nun, wer kann des Papsts und der Kardinäle Gesinde zählen, so doch der Papst, wenn er nur spazierenreitet, bei drei oder vier Tausend Maultierreiter um sich hat, allen Kaisern und Königen zum Trotz. Denn Christus und Sankt Peter gingen zu Fuß, auf daß ihre

49. Karl V. wurde erst am 23. Oktober 1520 gekrönt.
50. Die „familia papae", bzw. die Kurtisanen, d. h. die Angehörigen des römischen Hofes (curia) überhaupt.

Statthalter desto mehr zu prachten und zu prangen hätten. Nun ist der Geiz noch klüger geworden und schafft, daß auch draußen viele den Namen haben päpstlichen Gesindes wie zu Rom, so daß an allen Orten nur das bloße tückische Wort „Papstgesinde" alle Lehen an den römischen Stuhl bringet und ewiglich heftet. Sind das nicht verdrießliche, teuflische Fündlein? Sehen wir zu, so wird Mainz, Magdeburg, Halberstadt[51] gar fein gen Rom kommen und das Kardinalat teuer genug bezahlt werden. Darnach wollen wir alle deutschen Bischöfe zu Kardinälen machen, auf daß nichts ausgelassen bleibe.

Zum dritten: wenn um ein Lehen ein Hader sich zu Rom angefangen, welches, wie ich glaube, fast die gewöhnlichste und größeste Straße ist, die Pfründen gen Rom zu bringen. Denn wenn hier kein Hader ist, findet man unzählige Buben zu Rom, die Hader aus der Erde graben und Pfründen angreifen, wenn sie nur wollen; wobei mancher fromme Priester seine Pfründe muß verlieren oder mit einer Summe Geldes den Hader abkaufen eine Zeitlang. Solch Lehen mit Haderrecht oder Unrecht behaftet, muß auch des Römischen Stuhls ewiges Eigentum sein. Es wäre kein Wunder, wenn Gott vom Himmel Schwefel und höllisches Feuer regnete und Rom in den Abgrund versenkte, wie er vorzeiten Sodom und Gomorra tat[52]. Was soll ein Papst in der Christenheit, wenn man seiner Gewalt nicht anders braucht denn zu solcher Hauptbosheit und er dieselbe schützt und auf ihr besteht. O edle Fürsten und Herren, wie lang wollt ihr euer Land und Leute solchen reißenden Wölfen offen und frei lassen!

Da nun solche Praktik nicht genug war und dem Geiz die Zeit zu lang wurde, alle Bistümer hineinzureißen, hat mein lieber Geiz doch so viel erfunden, daß die Bis-

---

51. Damals in der Hand des Kardinals Albrecht von Brandenburg vereinigt.
52. I. Mose 19, 24 f.

tümer mit Namen draußen und mit dem Grund und Boden zu Rom sind. Und daß so kein Bischof kann bestätigt werden, er kaufe denn mit großer Summa Geldes das Pallium[53] und verpflichte sich mit greulichen Eiden zu einem eigenen Knecht dem Papst. Daher kommt's, daß kein Bischof wider den Papst wagt zu handeln; das haben die Römer auch gesucht mit dem Eide und sind so die allerreichsten Bistümer in Schuld und Verderben gekommen. Mainz, hör ich, gibt zwanzigtausend Gulden. Das sind mir jedenfalls Römer, wie mich dünkt! Sie haben's wohl vorzeiten festgesetzt im geistlichen Recht, das Pallium umsonst zu geben, des Papstes Gesind zu verringern, Hader zu mindern, den Stiften und Bischöfen ihre Freiheit zu lassen; aber das wollte nicht Geld tragen, drum ist das Blatt umgekehrt und ist den Bischöfen und Stiften alle Gewalt genommen, sitzen da als Nullen, haben weder Amt, Macht noch Werk, sondern die Hauptbuben zu Rom regieren alle Dinge, auch schier des Küsters und Glockners Amt in allen Kirchen. Alle Hader werden gen Rom gezogen, jedermann tut durch des Papstes Gewalt, was er will.

Was ist geschehen in diesem Jahre? Der Bischof zu Straßburg wollte sein Stift ordentlich regieren und reformieren im Gottesdienst und stellet etliche göttliche und christliche Artikel, dazu dienlich, auf. Aber mein lieber Papst und der Heilige Römische Stuhl stößt zu Boden und verdammt solche heilige geistliche Ordnung ganz miteinander auf Verlangen der Priesterschaft. Das heißt die Schafe Christi geweidet, so soll man Priester wider ihren eigenen Bischof stärken und ihren Ungehorsam mit göttlichen Gesetzen schützen! Solche öffentliche Gottesschmähung wird der Antichrist, hoff ich, nicht vornehmen. Da habt ihr den Papst, wie ihr habt gewollet. Warum das? Ei, wenn eine Kirche würde reformiert, wäre das ein

53. Ein vom Papst als Zeichen der (erz-)bischöflichen Würde verliehenes weißes Wollband mit schwarzen Kreuzen.

gefährlicher Beginn, so daß Rom müßte vielleicht auch dran. Darüber sollte man lieber keinen Priester mit dem anderen eins bleiben lassen, und, wie sie bisher gewöhnt, Fürsten und Könige uneins machen, die Welt mit Christenblut erfüllen, damit niemals der Christen Einigkeit dem Heiligen Römischen Stuhl durch Reformieren zu schaffen gebe.

Bisher haben wir verstanden, wie sie mit den Pfründen handeln, die verfallen und ledig werden. Nun fallen dem zarten Geiz zu wenig als ledig an; darum hat er seine Umsicht erzeigt auch gegenüber den Lehen, die noch besessen sind durch ihre Verweser, daß dieselben auch ledig sein müssen, ob sie schon nicht ledig sind, und das auf mancherlei Weise.

Zum ersten lauert er, wo fette Präbenden sind oder Bistümer durch einen Alten oder Kranken oder auch mit einer erdichteten Untüchtigkeit Behafteten besessen. Demselben gibt der Heilige Stuhl einen Koadjutor, das ist ein Mithelfer, ohne seinen Willen und Dank, zu gut dem Koadjutor, darum daß er zum Papstgesinde gehört oder Geld drum gibt oder sich dies sonst mit einem römischen Frondienst verdienet hat. Da muß denn aufhören freie Erwählung durch das Kapitel oder Recht dessen, der die Pfründe hat zu verleihen, und alles nur gen Rom.

Zum anderen heißt ein Wörtlein „Kommenden[54]", das ist, wenn der Papst einem Kardinal oder sonst einem der Seinen ein reiches, fettes Kloster oder Kirche befiehlt zu behalten, gleich als wenn ich dir hundert Gulden zu behalten gäbe. Dies heißt das Kloster nicht geben noch verleihen, auch nicht verstören, noch Gottes Dienst abtun, sondern allein zu behalten geben, nicht daß er's bewahren oder bauen soll, sondern die Personen austreiben, die Güter und Zinsen einnehmen und irgend-

54. Übertragung einer Pfründe ohne Verpflichtung zur Erfüllung damit verbundener Amtspflichten.

einen abtrünnigen, verlaufenen Mönch hineinsetzen, der fünf oder sechs Gulden des Jahres nimmt und sitzt des Tages in der Kirchen, verkauft den Pilgern Zeichen und Bildlein, so daß weder singen noch lesen daselbst mehr geschieht. Denn wo das hieße Klöster zerstören und Gottes Dienst abtun, so müßte man den Papst nennen einen Verstörer der Christenheit und Abtäter des Gottesdienstes, denn er treibet es fürwahr mächtig. Das wäre eine harte Sprache zu Rom — drum muß man es nennen eine Kommende oder Anbefehlung, das Kloster zu behalten. Dieser Klöster kann der Papst vier oder mehr in einem Jahr zu Kommenden machen, von denen eines mehr denn sechstausend Gulden hat Einkommen. So mehren sie zu Rom den Gottesdienst und erhalten die Klöster. Das lernet sich in deutschen Landen auch.

Zum dritten gibt es etliche Lehen, die sie heißen incompatibilia, die nach Ordnung geistlichen Rechts nicht können miteinander behalten werden[55], als da sind zwei Pfarren, zwei Bistümer und dergleichen. Hier windet sich der Heilige Römische Stuhl und Geiz so aus dem geistlichen Recht, daß er Glossen[56] dazu macht, die heißen unio[57] und incorporatio[58], das ist, daß er viel incompatibilia einander einverleibet, daß eines des andern Glied sei und so *einer* Pfründe gleich geachtet werden; so sind sie nimmer incompatibilia und ist dem geistlichen Recht geholfen, so daß es nicht mehr bindet denn allein bei denen, die solche Glosse dem Papst und seinem Datárius[59] nicht

55. Um nämlich die Erfüllung der jeweiligen geistlichen Aufgaben zu gewährleisten, für die die einzelnen Pfründen gestiftet sind.

56. Erläuternde Zusätze.

57. Vereinigung zweier Ämter (und ihrer Einkünfte) durch Aufhebung der Selbständigkeit des einen.

58. Vereinigung eines Amtes mit einem Stift oder Kloster.

59. Vorsteher der „Dataria" (vom Datieren päpstlicher Schreiben), einer Behörde, durch die bei der Kurie Pfründenangelegenheiten bearbeitet wurden.

abkaufen. Derart ist auch die unio, das ist Vereinigung, daß er solcher Lehen viel zusammenkoppelt wie ein Bund Holz, um welcher Koppel willen sie alle für *ein* Lehen gehalten werden. So findet man wohl einen Kurtisanen zu Rom, der für sich allein zweiundzwanzig Pfarren, sieben Propsteien und vierundvierzig Pfründen dazu hat. Zu dem allen verhilft solche meisterliche Glosse und bewirkt, daß es nicht wider das Recht sei. Was nun Kardinäle und andere Prälaten haben, bedenk ein jeglicher selbst. So wird man den Deutschen den Beutel räumen und den Kitzel vertreiben.

Der Glossen eine ist auch Administrátio[60], das ist, daß einer neben seinem Bistum eine Abtei oder Dignität habe und alles Gut besitze, nur daß er den Namen nicht habe, sondern nur administrátor heißt. Denn es ist zu Rom genug, daß die Wörtlein sich wandeln und nicht die Tat, gleich als wenn ich lehrte, die Hurenwirtin solle Bürgermeisterin heißen und doch so fromm bleiben, wie sie ist. Solch römisch Regiment hat Sankt Peter vorherverkündet, da er sagt II. Petr. 2 (3): „Es werden falsche Meister kommen, die in Geizerei mit erdichteten Worten über euch handeln werden, ihren Gewinst zu treiben."

Es hat auch der liebe römische Geiz den Brauch erdacht, daß man die Pfründen und Lehen verkauft und leiht mit dem Vorrecht, daß der Verkäufer oder Händler sich vorbehält den Heimfall und Anspruch, daß, wenn der Besitzer stirbt, das Lehen frei wieder heimfalle an den, der es vorher verkauft, verliehen oder überlassen hat; womit sie aus den Pfründen Erbgüter gemacht haben, so daß niemand mehr daran kommen kann als der, welchem der Verkäufer dasselbe verkaufen will oder sein Recht daran überträgt bei seinem Tod. Daneben gibt es ihrer viele, die ein Lehen nur dem Titel nach dem anderen übertragen, wovon er keinen Heller

60. Verwaltung.

empfängt. Es ist auch nun bereits eine alte Sache geworden, daß einer dem anderen ein Lehen überträgt unter dem Vorbehalt etlicher Summen jährlichen Zinses, welches vorzeiten Simonie[61] war — und der Stücklein viele mehr, die nicht zu zählen sind; und sie gehen so viel schändlicher mit den Pfründen um denn die Heiden unter dem Kreuz mit Christus' Kleidern[62].

Aber alles, was bisher gesagt ist, ist ganz alt und gewöhnlich worden zu Rom. Noch eines hat der Geiz erdacht, das, hoff ich, soll das letzte sein, daran er erstickt. Der Papst hat ein edles Fündlein, das heißet pectorális reservátio, das ist „seines Gemütes Vorbehalt", et próprius motus, „und Selbstbestimmung der Vollmacht". Das gehet so zu: wenn einer zu Rom ein Lehen erlangt, das ihm signiert und redlicherweise zugeschrieben wird, wie da der Brauch ist, und es kommt dann einer, der Geld bringt oder es sonst verdient hat, wovon nichts zu sagen ist, und begehrt dasselbe Lehen von dem Papst, so gibt er es ihm und nimmt's dem andern. Spricht man dann, er sei im Unrecht, so muß der allerheiligste Vater sich entschuldigen, auf daß er nicht so öffentlich beschuldiget werde, mit Gewalt wider das Recht zu handeln, und spricht: Er habe in seinem Herzen und Gemüt dasselbe Lehen sich selbst und seiner vollen Gewalt vorbehalten, obgleich er doch sein Lebtag zuvor nie daran gedacht, noch davon gehöret hat und hat nun so ein Gloßlein gefunden, daß er in eigener Person lügen, trügen und jedermann äffen und narren kann, und das alles unverschämt und öffentlich; und will dennoch das Haupt der Christenheit sein, läßt mit öffentlichen Lügen den bösen Geist regieren.

Dieser Mutwille und lügenhafte Vorbehalt des Papsts macht nun zu Rom solch ein Wesen, daß es niemand ausdrücken kann. Da ist ein Kaufen, Verkaufen, Wechseln,

61. Kauf geistlicher Ämter, nach Apg. 8, 18.
62. Vgl. Mark. 15, 24.

Tauschen, Lärmen, Lügen, Trügen, Rauben, Stehlen, Prachten, Hurerei, Büberei, Gottesverachtung auf vielerlei Weise, daß es dem Antichrist nicht möglich ist, lästerlicher zu regieren. Es ist nichts mit Venedig, Antwerpen, Kairo gegenüber diesem Jahrmarkt und Kaufhandel zu Rom; nur daß dort doch Vernunft und Recht gehalten wird; hier geht es, wie der Teufel selbst will. Und aus *dem* Meer fließet nun in alle Welt gleiche Tugend. Sollten sich solche Leute nicht billig fürchten vor der Reformation und einem freien Konzilium und lieber alle Könige und Fürsten widereinander hetzen, daß nicht je durch ihre Einigkeit ein Konzilium werde? Wer kann dulden, daß solche seine Büberei an den Tag komme?

Zuletzt hat der Papst für alle diese edlen Händel ein eigen Kaufhaus aufgerichtet, das ist des Datárius Haus zu Rom[63]. Dahin müssen alle die kommen, die nach dieser Weise um Lehen und Pfründen handeln; denselben muß man solche Glosse und Hantierung abkaufen und Vollmacht erlangen, solche Hauptbüberei zu treiben. Es war vorzeiten noch gnädig zu Rom, da man das Recht mußte kaufen oder mit Geld niederdrücken. Aber jetzt ist sie so kostbar geworden, daß sie niemand lässet Büberei treiben, es muß mit Summen vorher erkauft werden. Ist das nicht ein Hurenhaus über alle Hurenhäuser, die jemand erdenken kann, so weiß ich nicht, was ich Hurenhäuser heißen soll.

Hast du nun Geld in diesem Haus, so kannst du zu all den genannten Stücken kommen und nicht allein zu denselben, sondern allerlei Wucher wird hier um Geld redlich, alles gestohlene, geraubte Gut gerechtfertigt. Hier werden die Gelübde aufgehoben, hier den Mönchen Freiheit gegeben, aus den Orden zu gehen, hier ist feil der eheliche Stand den Geistlichen, hier können Hurenkinder ehelich werden, alle Unehre und Schande hier zu Würden kommen, aller böse Tadel und Mal wird

63. S. Anm. 59, S. 38.

hier zu Rittern geschlagen und edel. Hier muß sich der eheliche Stand darein schicken, daß er in verbotenem Grade oder mit sonst einem Mangel behaftet zugelassen wird. O welch eine Schatzerei und Schinderei regiert da, so daß es den Anschein hat, daß alle geistlichen Gesetze darum gesetzt sind, daß nur viele Geldstricke entstünden, aus denen sich muß lösen, wer ein Christ sein soll. Ja, hier wird der Teufel ein Heiliger und ein Gott dazu; was Himmel und Erde nicht vermag, das vermag dieses Haus. Es heißen Compositiónes[64] freilich compositiónes, ja confusiónes[65]. Oh, welch ein schlechter Schatz ist der Zoll am Rhein gegen dieses heilige Haus.

Niemand soll meinen, daß ich zuviel sage. Es ist alles offenbar, so daß sie selbst zu Rom müssen bekennen, es sei greulicher und mehr als jemand sagen könne. Ich habe noch nicht, will auch noch nicht aufrühren die rechte Höllengrundsuppe von den persönlichen Lastern. Ich rede nur von allgemeinen, geläufigen Sachen und kann sie dennoch mit Worten nicht erlangen. Es sollten Bischöfe, Priesterschaft und zuvor die Doctores der Universitäten, die dazu besoldet sind, ihrer Pflicht nach hiergegen einträchtiglich geschrieben und geschrien haben. Ja, wend das Blatt um, so findest du es.

Es steht noch das Valete[66] aus, das muß ich auch geben. Da nun der unermeßliche Geiz noch nicht genug hat an allen diesen Schätzen, an denen sich drei mächtige Könige billig genügen ließen, hebt er nun an, solche seine Händel zu versetzen und verkaufen dem Fugger zu Augsburg[67], so daß nun Bistum und Lehen zu verleihen, zu tauschen, kaufen und den lieben Handel mit geist-

---

64. Die Taxe, die für die Befreiung von einer kirchlichen Vorschrift (Dispens) gezahlt wurde.

65. Verwirrung.

66. „Lebt wohl", d. h. der Schluß.

67. Hier dürfte vor allem die Garantie gemeint sein, die das Bankhaus Fugger dem Erzbischof Albrecht von Brandenburg für die Aufbringung der Palliengelder leistete.

lichen Gütern zu treiben, genau an den rechten Ort gekommen ist und nun aus geistlichen und weltlichen Gütern eine Kaufhandlung geworden ist. Nun möchte ich
gern eine so hohe Vernunft hören, die erdenken könnte,
was nun hinfort könnte geschehen durch den römischen
Geiz und nicht schon geschehen sei, es wäre denn, daß
der Fugger seine beiden und nun vereinigten Handlungen auch jemandem versetzte oder verkaufte. Ich mein,
es sei ans Ende gekommen.

Denn was sie mit Ablaß, Bullen, Beichtbriefen, But-
terbriefen[68] und anderen Confessionáles[69] haben in allen
Landen gestohlen, noch stehlen und erschinden, eracht
ich als Flickwerk und gleich, als wenn man mit einem
Teufel in die Hölle würfe. Nicht daß sie wenig ein-
tragen, denn es könnte sich wohl ein mächtiger König
davon erhalten, sondern daß es gegen die oben genannten Schatzflüsse ohne gleichen ist. Ich schweige auch zur
Zeit noch davon, wo solches Ablaßgeld hinkommen ist.
Ein andermal will ich danach fragen, denn Campoflore[70]
und Belvedere[71] und etliche Orte mehr wissen wohl
etwas darum.

Dieweil denn solches teuflische Regiment nicht allein
eine öffentliche Räuberei, Trügerei und Tyrannei der
höllischen Pforten ist, sondern auch die Christenheit an
Leib und Seel verderbet, sind wir hier schuldig, allen
Fleiß aufzuwenden, solchem Jammer und Zerstörung
der Christenheit zu wehren. Wollen wir wider die Türken streiten, so lasset uns hier anheben, wo sie am aller-
ärgsten sind; hängen wir mit Recht die Diebe und
köpfen die Räuber, warum sollen wir frei lassen den
römischen Geiz, der der größte Dieb und Räuber ist,

68. Erleichterung der Fastengebote.
69. „Beichtbriefe" zur Erleichterung kirchlicher Rechtsvorschriften.
70. Von Päpsten bebauter römischer Platz.
71. Prachtbau des Vatikans.

der auf Erden kommen ist oder kommen kann, und das alles in Christus' oder Sankt Peters heiligem Namen; wer kann es noch dulden oder verschweigen? Es ist jedenfalls gestohlen und geraubt fast alles, was er hat; das ist nicht zu ändern; welches aus allen Historien bewähret wird. Der Papst hat niemals solche großen Güter gekauft, daß er von seinen Offizien kann erheben bei zehnmal hunderttausend Dukaten ohn die obgenannten Schatzgruben und sein Land. Weder hat's ihm Christus und Sankt Peter vererbt, noch hat es jemand gegeben oder geliehen, noch ist es ersessen oder durch Verjährung erlangt. Sag du mir, woher mag er's haben? Daraus merk, was sie suchen und meinen, wenn sie Legaten heraussenden, Geld zu sammeln wider den Türken.

Wiewohl ich nun zu gering bin, Stücke vorzulegen, zu solchen greulichen Wesens Besserung dienlich, will ich doch das Narrenspiel hinaussingen und sagen, soviel mein Verstand vermag, was wohl geschehen könnte und sollte von weltlicher Gewalt oder einem allgemeinen Konzil.

Zum ersten, daß ein jeglicher Fürst, Adel, Stadt bei ihren Untertanen kecklich verbiete, die Annaten[72] gen Rom zu geben, und sie ganz abtue; denn der Papst hat den Pakt gebrochen und eine Räuberei gemacht aus den Annaten, zu Schaden und Schanden allgemeiner deutscher Nation; gibt sie seinen Freunden, verkauft sie für großes Geld und stiftet offícia[73] drauf; drum hat er das Recht daran verloren und Straf verdienet. So ist die weltliche Gewalt schuldig, zu schützen die Unschuldigen und zu wehren dem Unrecht, wie Sankt Paulus Röm. 13 (4) lehret und Sankt Peter I. Petr. 2 (14), ja auch das geistliche Recht, 16, quaestio 7, de filiis[74]. Daher es

---

72. S. Anm. 46, S. 31.
73. Kirchliche Ämter.
74. Verwahrt sich gegen die bestimmungswidrige Verwendung kirchlicher Rechtsvorschriften.

kommen ist, daß man sagt zum Papst und den Seinen: Tu óra, Du sollst beten; zum Kaiser und den Seinen: Tu protége, Du sollst schützen; zu dem gemeinen Mann: Tu labóra, Du sollst arbeiten. Das soll nicht heißen, daß nicht ein jeglicher beten, schützen, arbeiten sollte, denn das heißt alles beten, schützen, arbeiten, wenn sich jemand in seinem Werk übt, sondern daß einem jeglichen sein besonderes Werk zu eigen gegeben werde.

Zum andern. Dieweil der Papst mit seinen römischen Praktiken, Kommenden, Adjutorien[75], Reservation, gratiae expectatívae[76], Papstmonaten, Inkorporation, Union, Pension[77], Pallien, Kanzleiregeln und dergleichen Büberei alle deutschen Stifte ohne Gewalt und Recht an sich reißt und dieselben zu Rom Fremden, die nichts in deutschen Landen dafür tun, gibt und verkauft, womit er die Ordinarien[78] beraubt ihres Rechtes, und aus den Bischöfen nur Nummern und Ölgötzen macht und so wider sein eigen geistlich Recht, Natur und Vernunft handelt, so daß es schließlich dahin kommen ist, daß die Pfründen und Lehen nur groben, ungelehrten Eseln und Buben zu Rom aus lauter Geiz verkauft werden, fromme, gelehrte Leute keinen Nutzen haben von ihrem Verdienst und Kunst, wodurch das arme Volk deutscher Nation guter, gelehrter Prälaten ermangeln und verderben muß, so soll hier der christliche Adel sich ihm widersetzen als wider einen gemeinsamen Feind und Zerstörer der Christenheit um der armen Seelen Heil willen, die durch solche Tyrannei verderben müssen, und setzen, gebieten und verordnen, daß hinfort kein Lehen mehr Rom übertragen, keines mehr dort erlangt werde

75. = Koadjutorien, vgl. S. 37
76. Versprechung noch nicht erledigter Pfründen, oft gegen den Willen des zu ihrer Verleihung Berechtigten.
77. Belastung mit einer einem Dritten zu zahlenden Rente.
78. Inhaber der ordentlichen richterlichen Gewalt in der Kirche, d. h. der Bischof.

auf irgendeine Weise, sondern im Gegenteil von der tyrannischen Gewalt herausgerückt — sie draußen zu behalten und den Ordinarien ihr Recht und Amt wiederzuerstatten über solch Lehen, so gut sie können, innerhalb der deutschen Nation zu verfügen; und wenn ein Kurtisan herauskäme, daß demselben ein ernster Befehl geschähe, abzustehen oder in den Rhein und das nächste Wasser zu springen; und wenn sie so den römischen Bann mit Siegel und Briefen zum kalten Bade führen würden, so würden sie zu Rom merken, daß die Deutschen nicht allezeit toll und voll sind, sondern auch einmal Christen geworden, die den Spott und Schmach des heiligen Namens Christi, unter welchem solch Büberei und Seelenverderbnis geschieht, nicht mehr zu dulden gedenken, Gott und Gottes Ehre mehr achten denn der Menschen Gewalt.

Zum dritten, daß ein kaiserlich Gesetz ausgehe, keinen Bischofsmantel, auch keine Bestätigung irgendeiner Dignität fortan aus Rom zu holen, sondern daß man die Ordnung des allerheiligsten und berühmtesten nizänischen Konzils wieder aufrichte, darin festgesetzt ist, daß ein Bischof soll bestätigt werden von den zwei nächsten anderen oder von dem Erzbischof. Wenn der Papst solche und aller Konzilia Statut will zerreißen, was ist's nutz, daß man Konzilia habe? Oder wer hat ihm die Gewalt gegeben, Konzilia so zu verachten und zu zerreißen? Lieber tun wir ab alle Bischöfe, Erzbischöfe, Primate, machen lauter Pfarrer draus, daß der Papst allein sei über sie, wie er doch jetzt ist und den Bischöfen, Erzbischöfen und Primaten keine ordentliche Gewalt noch Amt läßt, alles an sich reißt und ihnen nur den Namen und bloßen Titel bleiben läßt, so weit auch, daß durch seine Exemption[79] auch die Klosteräbte und Prälaten der ordentlichen Gewalt der Bischöfe entzogen

79. Herausnahme aus einem niederen Rechtsverband und Unterstellung unter einen höheren Rechtsträger.

werden; und damit bleibt keine Ordnung in der Christenheit. Daraus dann folgen muß, wie erfolgt ist, Nachlaß der Strafe und Freiheit, übel zu tun, in aller Welt, so daß ich fürwahr Sorge habe, man könnte den Papst nennen homo peccati[80]. Wem kann man Schuld geben, daß keine Zucht, keine Strafe, kein Regiment, keine Ordnung in der Christenheit ist, denn dem Papst, der durch solche selbstangemaßte Gewalt allen Prälaten die Hand zuschließt, die Ruten nimmt und allen Untertanen die Hand auftut und Freiheit gibt oder verkauft.

Doch damit er nicht klage, er werde seines obrigkeitlichen Amtes beraubt, sollte verordnet werden, daß, wenn die Primaten oder Erzbischöfe eine Sache nicht ausrichten könnten oder unter ihnen sich ein Hader erhöbe, daß alsdann dieselbe dem Papst werde vorgetragen, und nicht ein jegliche kleine Sache, wie vorzeiten geschah und das hochberühmte Konzilium Nizänum bestimmt hat; was aber ohne den Papst kann ausgerichtet werden, daß seine Heiligkeit nicht mit solchen geringen Sachen beschwert werde, sondern ihres Gebets und Studierens und Sorgens für die ganze Christenheit, wie er sich rühmet, warten könne, wie die Apostel täten Apg. 6 (2. 4) und sagten: „Es ist nicht recht, daß wir das Wort Gottes lassen und dem Tisch dienen; wir wollen an dem Predigen und Gebet hangen und über das Werk andere verordnen." Aber nun ist Rom nichts anderes denn des Evangelii und Gebets Verachtung und Tischdienst, das ist, zeitlichen Gutes, und reimet sich der Apostel und Päpste Regiment zusammen wie Christus und Luzifer, Himmel und Hölle, Nacht und Tag, und heißt doch Christi vicarius und der Apostel Nachfolger.

Zum vierten, daß verordnet werde, daß keine weltliche Sache gen Rom gezogen werde, sondern dieselben alle der weltlichen Gewalt gelassen, wie sie selbst fest-

80. Mensch der Sünde, d. h. der Antichrist, vgl. II. Thess. 2, 3.

setzen in ihren geistlichen Rechten und doch nicht halten. Denn des Papsts Amt soll sein, daß er, der Allergelehrteste in der Schrift, und wahrhaftig, nicht mit Namen, der Allerheiligste, regiere die Sachen, die den Glauben und heiliges Leben der Christen betreffen, die Primaten und Erzbischöfe dazu anhalten und mit ihnen darinnen handeln und Sorge tragen, wie Sankt Paul I. Kor. 6 (7) lehret und härtiglich straft, daß sie mit weltlichen Sachen umgingen. Denn es bringt untragbaren Schaden allen Landen, daß zu Rom solche Sachen werden verhandelt, wobei große Kosten entstehen, dazu dieselben Richter nicht wissen die Sitten, Recht und Gewohnheit der Lande, so daß sie oftmals die Sachen zwingen und ziehen nach ihren Rechten und Opinionen; womit den Parteien muß Unrecht geschehen.

Dabei müßte man auch verbieten in allen Stiften die greuliche Schinderei der Offiziale[81], daß sie keiner anderen Sache sich annehmen denn des Glaubens und guter Sitten, was Geld, Gut, und Leib oder Ehre anbetrifft, den weltlichen Richtern lassen. Darum soll die weltliche Gewalt das Bannen und Treiben nicht gestatten, wofern es nicht Glauben oder gutes Leben betrifft. Geistliche Gewalt soll geistliches Gut regieren, wie das die Vernunft lehret; geistlich Gut aber ist nicht Geld noch leiblich Ding, sondern Glaube und gute Werke.

Doch könnte man zugestehen, daß Sachen, die da Lehen oder Pfründen betreffen, vor Bischöfen, Erzbischöfen, Primaten verhandelt werden. Um nun, wo es sein kann, die Hadereien und Streitigkeiten zu scheiden, sollte der Primat in Germanien ein allgemeines Konsistorium halten, mit auditores, Kanzlern, der wie zu Rom die signatúrae grátiae und iustítiae[82] regierte, zu

81. Rechtsbeauftragter des Bischofs.
82. Päpstliche Behörden für Fragen, die entweder auf dem Gnadenwege (gratia) oder auf dem Rechtswege (justitia) zu entscheiden sind.

welchem durch Appellation die Sachen in deutschen Landen ordentlich gebracht würden und betrieben. Welche man nicht wie zu Rom mit zufälligen Geschenken und Gaben besolden dürfe, wodurch sie sich gewöhnten, Recht und Unrecht zu verkaufen, wie sie jetzt zu Rom müssen tun, darum daß ihnen der Papst keinen Sold gibt, läßt sie sich mit Geschenken selbst mästen; denn es liegt zu Rom niemals jemandem etwas dran, was recht oder unrecht ist, sondern was Geld oder nicht Geld ist — sondern könnte das tun von den Annaten oder sonst einen Weg erdenken, wie denn wohl tun mögen, die hochverständiger und in den Sachen besser erfahren sind, denn ich bin. Ich will nur angeregt und Ursache zu bedenken gegeben haben denen, die da imstande und geneigt sind, deutscher Nation zu helfen, wiederum Christen und frei zu werden nach dem elenden, heidnischen und unchristlichen Regiment des Papstes.

Zum fünften, daß keine Reservation[83] mehr gelte und kein Lehen mehr festgehalten werde zu Rom, es sterbe der Besitzer, es sei Hader darüber oder es handle sich um eines Kardinals oder Papstes Gesinde. Und daß man strenglich verbiete und wehre, daß kein Kurtisane in bezug auf irgendein Lehen Hader anfange, die frommen Priester zu zitieren, tribulieren und contentieren[84] zwinge. Und wenn darum aus Rom ein Bann oder geistlicher Zwang käme, daß man den verachte, wie wenn ein Dieb jemanden in den Bann täte, darum, daß man ihn nicht wollte stehlen lassen. Ja, man sollte sie hart strafen, daß sie den Bann und göttlichen Namen so lästerlich mißbrauchen, ihre Räuberei zu stärken und mit falschem erdichtetem Drohen uns treiben wollen dahin, daß wir solche Lästerung göttlichen Namens und Miß-

83. D. i. der päpstliche Vorbehalt der Verleihung kirchlicher Ämter.
84. Begriffe eines Rechtsverfahrens: Vorladung, eingehende Befragung, Vergleich.

brauch christlicher Gewalt sollen dulden und loben und an ihrer Bosheit vor Gott mitschuldig werden, obgleich wir ihr zu wehren vor Gott schuldig sind, wie Sankt Paul Röm. 1 (32) dieselben straft, sie seien des Todes würdig, daß sie nicht allein solches tun, sondern auch, daß sie einwilligen und gestatten, solches zu tun. Vor allem aber die lügenhafte reservátio pectorális[85] ist unerträglich, wodurch die Christenheit wird so lästerlich und öffentlich zu Schmach und Spott gemacht, daß ihr Oberster mit offenbar Lügen handelt und um der verfluchten Liebe zum Gut willen jedermann unverschämt betrügt und narret.

Zum sechsten, daß auch abgetan werden die casus reserváti, die[86] vorbehaltenen Fälle, womit nicht allein viel Geld von den Leuten geschunden wird, sondern viel arme Gewissen von den wütigen Tyrannen verstrickt und verwirrt werden, zu unerträglichem Schaden ihres Glaubens an Gott. Besonders die lächerlichen, kindischen Fälle, die sie aufblasen mit der Bulla ‚Coenae domini'[87], die nicht würdig sind, daß man es tägliche Sünde nennen sollte, geschweige denn so große Fälle, daß sie der Papst mit keinem Ablaß nachlässet; als da sind, wenn jemand verhindert eine Pilgerfahrt gen Rom oder brächte den Türken Wehr oder fälschte des Papsts Briefe. Narren uns mit so groben, tollen, ungeschickten Stücken — Sodom und Gomorra und alle Sünden, die wider Gottes Gebot geschehen und geschehen können, sind nicht casus reserváti; aber was Gott nie geboten hat und sie selbst erdacht haben, das müssen casus reserváti sein, nur daß man niemand hindere, Geld gen Rom zu bringen, daß sie vor den Türken sicher in Wollust leben und mit ihren

85. D. h. die unausgesprochene Absicht des Papstes, einer bestimmten Person ein Amt zu übertragen, die bei Bekanntwerden alle sonstigen Abmachungen bricht. Vgl. S. 40 f.

86. — dem Papst zur Lossprechung —

87. Enthält eine mehrfach erweiterte Aufzählung verdammenswerter Irrtümer.

losen unnützen Bullen und Briefen die Welt in ihrer Tyrannei behalten.

Es sollte nun mit gutem Recht bei allen Priestern bekannt oder eine öffentliche Ordnung sein, daß keine heimliche, noch nicht unter Anklage stehende Sünde ein vorbehaltener Fall ist und ein jeglicher Priester Gewalt hat, von allen Sünden zu entbinden, wie immer sie heißen mögen, wofern sie heimlich sind, auch weder Abt, Bischof noch Papst Gewalt hat, deren eine sich vorzubehalten. Und wo sie das täten, so bindet und gilt es nichts, wären auch drum zu strafen als die ohne Befehl in Gottes Gericht fallen und ohne Ursache die armen, unverständigen Gewissen verstricken und beschweren. Wo es aber öffentliche große Sünden sind, besonders wider Gottes Gebot, da hat es wohl einen Grund, casus reserváti zu haben, doch auch nicht zuviel, auch nicht aus eigener Gewalt ohne Ursache. Denn Christus hat nicht Tyrannen, sondern Hirten in seine Kirche gesetzt, wie Sankt Petrus sagt, I. Petr. 5, 3.

Zum siebenten, daß der Römische Stuhl die offícia[88] abtue, das Gewürm und Geschwürm zu Rom verringere, auf daß des Papsts Gesinde könne von des Papstes eigenem Gut ernährt werden, und lasse seinen Hof nicht aller Könige Hof mit Prangen und Kosten übertreffen, in Anbetracht dessen, daß solch Wesen nicht allein nie gedient hat zur Sache des christlichen Glaubens, sondern sie auch dadurch verhindert werden am Studieren und Gebet, daß sie selbst fast nichts mehr wissen vom Glauben zu sagen. Welches sie gar gröblich bewiesen haben in diesem letzten römischen Konzilium[89], bei dem sie unter vielen kindischen, leichtfertigen Artikeln auch das festgesetzt haben, daß des Menschen Seele sei unsterblich und ein Priester je einmal im Monat sein Gebet zu sprechen schuldig ist, will er sein Lehen nicht verlieren.

88. Ämter.
89. Dem V. Laterankonzil (1512—17).

Was sollen die Leute über der Christenheit und des Glaubens Sachen richten, die vor großem Geiz, Gut und weltlicher Pracht verstockt und verblendet, nun erst festsetzen, die Seele sei unsterblich; welches keine geringe Schmach ist aller Christenheit, so schimpflich zu Rom mit dem Glauben umzugehn. Hätten sie nun weniger Gut und Prangen, so könnten sie besser studieren und beten, daß sie würdig und tüchtig würden, des Glaubens Sachen zu behandeln, wie sie vorzeiten waren, da sie Bischöfe und nicht Könige aller Könige zu sein sich vermaßen.

Zum achten, daß die schweren, grauenerregenden Eide aufgehoben werden, die die Bischöfe dem Papst zu leisten gezwungen wurden ohn alles Recht, womit sie gleich wie die Knechte gefangen werden, wie das unbrauchbare, ungelehrte Kapitel „Significásti"[90] aus eigener Gewalt und großem Unverstand es festsetzt. Es ist nicht genug, daß sie uns Gut, Leib und Seele beschweren mit ihren vielen, tollen Gesetzen, wodurch sie den Glauben geschwächt, die Christenheit verderbt haben, sie nehmen denn auch gefangen die Personen, ihr Amt und Werk, dazu auch die Investitur[91], die vorzeiten Sache der deutschen Kaiser gewesen ist und in Frankreich und etlichen Königreichen noch der Könige Sache ist. Darüber haben sie mit den Kaisern großen Streit und Hader gehabt, solang, bis daß sie sie mit frecher Gewalt genommen und behalten haben bisher, gerade als müßten die Deutschen, vor allen Christen auf Erden des Papstes und römischen Stuhles Gaukelnarren, tun und leiden, was sonst niemand leiden noch tun will. Dieweil denn dieses Stück

90. Ein Kapitel des kanonischen Rechts, das die Wirksamkeit der Bischofswahl von der Verleihung des Pallium und dem damit verbundenen Treueid an den Papst abhängig macht. Aus L. spricht hier die alte Auffassung vom Bischofsamt als dem selbständigen, eigentlichen Träger aller geistlichen Funktionen.

91. Bekleidung mit dem bischöflichen Amt.

52

lauter Gewalt und Räuberei ist und die ordentliche, bischöfliche Gewalt hindert und den armen Seelen schadet, ist der Kaiser mit seinem Adel schuldig, solche Tyrannei abzuwehren und zu strafen.

Zum neunten, daß der Papst über den Kaiser keine Gewalt habe, außer daß er ihn auf dem Altar salbe und kröne wie ein Bischof einen König krönet, und niemals die teuflische Hoffart hinfort zugelassen werde, daß der Kaiser des Papstes Füße küsse oder zu seinen Füßen sitze oder, wie man sagt, ihm den Stegreif halte und den Zaum seines Maulpferds, wenn er aufsitzt, zu reiten, noch viel weniger dem Papst Hulde und treue Untertänigkeit schwöre, wie die Päpste unverschämt versuchen zu fordern, als hätten sie Recht dazu. Es ist das Kapitel Solitae[92], darin päpstliche Gewalt über kaiserliche Gewalt erhoben wird, nicht eines Hellers wert und alle, die sich drauf gründen oder davor fürchten, dieweil es nichts anderes tut denn die heiligen Gottesworte drängen und zwängen von ihrem rechten Verständnis zu ihren eigenen Träumen, wie ich das angezeigt habe im Lateinischen[93].

Solches überschwengliches, überhochmütiges, überfreventliches Vornehmen des Papstes hat der Teufel erdacht, darunter mit der Zeit den Antichrist einzuführen und den Papst über Gott zu erheben, wie denn schon viele tun und getan haben. Es gebührt nicht dem Papst, sich zu erheben über weltliche Gewalt denn allein in geistlichen Ämtern, als da sind Predigen und Absolvieren; in anderen Stücken soll er drunter sein, wie Paulus Röm. 13 (1) und I. Petr. 2 (13) lehren, wie ich droben gesagt habe. Er ist nicht ein Statthalter Christi im Himmel, sondern allein des auf Erden wandelnden Christus. Denn

92. Vgl. Anm. 90, S. 52. Legt die Unterordnung der weltlichen Gewalt unter die von Geistlichen gehandhabte fest.
93. In einer Schrift über die 13. auf der Leipziger Disputation verhandelte These von der Vollmacht des Papstes.

Christus im Himmel, in der regierenden Form[94], bedarf keines Statthalters, sondern sitzt, sieht, tut, weiß und vermag alle Dinge. Aber er bedarf seiner in der dienenden Form, wie er auf Erden ging, mit Arbeiten, Predigen, Leiden und Sterben; gleichwohl kehren sie es um, nehmen Christo die himmlische, regierende Form und geben sie dem Papst, lassen die dienende Form ganz untergehen. Er wird schier der Widerchrist sein, den die Schrift heißt Antichrist; geht doch all sein Wesen, Werk und Vornehmen wider Christum, nur um Christi Wesen und Werk zu vertilgen und zu verstören.

Es ist auch lächerlich und kindisch, daß der Papst aus solchem verblendetem, verkehrtem Grunde sich rühmet in seinem Dekretal „Pastoralis", er sei ein ordnungsgemäßer Erbe des Kaisertums, wenn es ledig stünde. Wer hat es ihm gegeben? Hat's Christus getan, wenn er sagt: „Die Fürsten der Heiden sind Herren, ihr aber sollt nicht so sein"[95]? Hat's ihm Sankt Peter vererbt? Mich verdrießt, daß wir solche unverschämte, grobe, tolle Lügen müssen im geistlichen Recht lesen und lehren, dazu für christliche Lehre halten, obgleich es doch teuflische Lügen sind. Welcher Art auch ist die unerhörte Lüge De donatione Constantini[96]. Es muß eine besondere Plage von Gott gewesen sein, daß soviel verständige Leute sich haben lassen bereden, solche Lügen aufzunehmen, obgleich sie doch so überaus grob und ungeschickt sind, daß mich dünkt, es sollte ein trunkener Bauer gewandter und geschickter lügen können. Wie sollte neben dem Regieren eines Kaisertums bestehen Predigen, Beten, Studieren und der Armen warten, welche Ämter aufs allereigentlichste dem Papst zustehen und von Christo mit so

94. Vgl. dazu Phil. 2, 5 ff.

95. Luk. 22, 25 f.

96. Vgl. Anm. 40, S. 27. Behauptete die Übertragung stadtrömischer Liegenschaften und weströmischer Gebiete an Papst Silvester I. durch Kaiser Konstantin den Großen (gest. 337). Um 1440 durch Laurentius Valla als Fälschung erkannt.

großem Ernst auferlegt sind, daß er auch verbot, sie sollten nicht Rock, nicht Geld mit sich tragen[97]. Sintemal der kaum solcher Ämter warten kann, der ein einziges Haus regieren muß; und der Papst will ein Kaisertum regieren, dazu Papst bleiben. Es haben die Buben erdacht, die unter des Papstes Namen gerne Herren wären über die Welt und das zerstörte römische Reich durch den Papst und den Namen Christi wiederaufrichten möchten, wie es vorher gewesen ist.

Zum zehnten, daß sich der Papst enthalte, die Hand aus der Suppen ziehe und sich keines Anspruchs unterwinde auf das Königreich zu Neapel und Sizilien[98]. Er hat ebensoviel Recht drauf wie ich, will dennoch Lehnsherr drüber sein. Es ist ein Raub und Gewalt, wie fast alle seine anderen Güter sind; drum sollte ihm der Kaiser solches Lehen nicht gestatten und wofern es geschehen wäre, nicht mehr bewilligen, sondern ihn dafür auf Bibel und Betbuch verweisen, daß er weltliche Leute lasse Land und Leute regieren, besonders die, die ihm niemand gegeben hat, und er predige und bete.

Gleiches sollte gelten von Bologna, Imola, Vicenza, Ravenna und allem, was der Papst in der Anconitaner Mark, der Romagna und anderen Ländern welschen Landes mehr mit Gewalt eingenommen hat und mit Unrecht besitzt, dazu wider alle Gebote Christi und Sankt Pauls sich dreinmengt. Denn also sagt Sankt Paul: „Niemand wickelt sich in die weltlichen Geschäfte, der göttlicher Ritterschaft warten soll[99]." Nun soll der Papst das Haupt und der Erste sein in dieser Ritterschaft und menget sich mehr in weltliche Geschäfte denn irgendein Kaiser oder König; um so mehr müßte man ihm heraushelfen

97. Matth. 10, 10.
98. In diesen Gebieten beanspruchten die Päpste seit den Tagen Nicolaus' II. (gest. 1061) und Robert Guiskards widerrechtlich die Lehnsheit.
99. II. Tim. 2, 4.

und ihn seiner Ritterschaft warten lassen. Christus rühmt sich auch der Ehre des Statthalters, wollte dennoch nie mit weltlichem Regiment zu schaffen haben, so gänzlich, daß er zu einem, der ein Urteil von ihm wider seinen Bruder begehrte, sprach: „Wer hat mich dir zu einem Richter gemacht?[100]" Aber der Papst fähret einher unberufen, unterwindet sich aller Dinge wie ein Gott, bis daß er selbst nicht mehr weiß, was Christus sei, zu dessen Statthalter er sich aufwirft.

Zum elften: daß das Fußküssen beim Papst auch nicht mehr geschehe. Es ist ein unchristliches, ja antichristliches Exempel, daß ein armer sündiger Mensch sich lässet seine Füße küssen von dem, der hundertmal besser ist denn er. Geschieht es der Gewalt zu Ehren, warum tut es der Papst auch nicht den anderen, der Heiligkeit zu Ehren? Halt sie gegeneinander, Christum und den Papst. Christus wusch seinen Jüngern die Füße und trocknete sie[101] und die Jünger wuschen sie ihm dennoch nie. Der Papst, höher denn Christus, kehrt das um und läßt es eine große Gnade sein, ihm seine Füße zu küssen, der dem doch billig, wenn es jemand von ihm begehrt, mit allen Kräften wehren sollte, wie Sankt Paul und Barnabas, die sich nicht wollten lassen ehren wie Gott von denen zu Lystra, sondern sprachen: „Wir sind gleiche Menschen wie ihr[102]." Aber unsre Schmeichler haben's so weit gebracht und uns einen Abgott gemacht, daß niemand sich so fürchtet vor Gott, niemand ihn mit solchen Gebärden ehret wie den Papst. Das können sie wohl dulden, aber ganz und gar nicht, wenn des Papstes Prachten ein Haar breit würde abgebrochen. Wenn sie nun Christen wären und Gottes Ehre lieber hätten denn ihre eigene, würde der Papst nimmer fröhlich werden, wenn er gewahr würde, daß Gottes Ehre verachtet und seine eigene er-

100. Luk. 12, 14.
101. Joh. 13, 1 ff.
102. Apg. 14, 14 f.

56

hoben wäre, würde auch sich von niemand ehren lassen, bis er bemerkt, daß Gottes Ehre wieder erhoben und größer denn seine Ehre wäre.

Derselben[103] großen ärgerlichen Hoffart ist auch das ein häßlich Stück, daß der Papst sich nicht lässet genügen, daß er reiten oder fahren könne, sondern, obgleich er stark und gesund ist, sich von Menschen wie ein Abgott mit unerhörter Pracht tragen läßt. Lieber, wie reimet sich doch solch luziferische Hoffart mit Christo, der zu Fuß gegangen ist, und alle seine Apostel? Wo ist ein weltlicher König gewesen, der so weltlich und prächtig je gefahren ist, wie der fährt, der ein Haupt sein will aller derer, die weltliche Pracht verschmähen und fliehen sollen, das ist der Christen? Nicht, daß uns das an sich selbst sehr bewegen soll, sondern daß wir billig Gottes Zorn fürchten sollen, wenn wir solcher Hoffart schmeicheln und unsern Verdruß nicht merken lassen. Es ist genug, daß der Papst so tobet und narret. Es ist aber zuviel, wenn wir das billigen und gutheißen.

Denn welch Christenherz kann oder soll das mit Lust sehen, daß der Papst, wenn er sich will lassen kommunizieren, stille sitzt wie ein gnädiger Junker und lässet sich das Sakrament von einem knienden, gebeugten Kardinal mit einem goldenen Rohr reichen, gerade als wäre das heilige Sakrament nicht würdig, daß ein Papst, ein armer, stinkender Sünder, aufstehe, seinem Gott eine Ehre antue, obgleich doch alle anderen Christen, die viel heiliger sind denn der allerheiligste Vater, der Papst, mit aller Ehrerbietung dasselbe empfangen? Was wäre es wunder, wenn uns Gott allesamt plagen würde, daß wir solche Unehre Gottes dulden und loben bei unseren Prälaten und solcher verdammten Hoffart uns teilhaftig machen durch unser Schweigen oder Schmeicheln?

So geht es auch, wenn er das Sakrament in der Pro-

103. Dieser Schlußteil des 11. Abschnitts ist Zusatz der 2. Auflage, die der ersten nur wenige Tage später folgte.

zession umträgt: ihn muß man tragen, aber das Sakrament steht vor ihm wie ein Kännchen Weins auf dem Tisch: kurz: Christus gilt nichts zu Rom, der Papst gilt alles; und wollen uns dennoch drängen und bedrohen, wir sollen solch antichristlichen Makel billigen, preisen und ehren wider Gott und alle christliche Lehre. Helf nun Gott einem freien Konzilium, daß es den Papst lehre, wie er auch ein Mensch sei und nicht mehr denn Gott, wie er sich unterstehet zu sein.

Zum zwölften, daß man die Wallfahrten gen Rom abtue oder niemanden aus eigener Lust oder Eifer wallen ließe, er würde denn zuvor von seinem Pfarrer, Stadt oder Oberherrn als solcher anerkannt, der genugsam und redlich Ursache habe. Das sag ich nicht darum, weil Wallfahrten böse seien, sondern daß sie zu dieser Zeit übel ausgehen; denn sie sehen zu Rom kein gutes Exempel, sondern eitel Ärgernis. Und wie sie selbst ein Sprichwort gemacht haben: „Je näher Rom, je ärgere Christen", bringen sie mit sich Verachtung Gottes und von Gottes Geboten. Man sagt: wer das erste Mal gen Rom geht, der sucht einen Taugenichts, zum anderen Mal findet er ihn, zum dritten bringt er ihn mit heraus. Aber sie sind nun so geschickt geworden, daß sie die drei Reisen auf einmal ausrichten und haben fürwahr uns solche Stücklein aus Rom gebracht, es wäre besser, sie hätten Rom nie gesehen noch erkannt.

Und wenn schon diese Sache nicht wäre, so ist doch noch da eine vortrefflichere, nämlich die, daß die einfältigen Menschen dadurch verführt werden in einem falschen Wahn und Unverständnis göttlicher Gebote. Denn sie meinen, daß solch Wallen sei ein köstlich, gut Werk, was doch nicht wahr ist. Es ist ein geringes Werk, meistens ein böses verführerisches Werk, denn Gott hat es nicht geboten. Er hat aber geboten, daß ein Mann seines Weibes und Kinder warte und was dem ehelichen Stand gebührt; dabei seinem Nächsten dienen

58

und helfen. Nun geschieht es, daß einer gen Rom wallet, verzehret fünfzig, hundert Gulden, auch mehr oder weniger, was ihm niemand befohlen hat, und läßt sein Weib und Kind oder überhaupt seinen Nächsten daheim Not leiden und meinet doch, der törichte Mensch, er wolle solchen Ungehorsam und Verachtung göttlicher Gebote mit seinem eigenwilligen Wallen schmücken, obgleich es doch ein bloße Hoffart oder Teufels Verführung ist. Da haben nun zu geholfen die Päpste mit ihren falschen, erdichteten, närrischen goldenen Jahren[104], damit das Volk erregt, von Gottes Geboten weggerissen und zu ihren eigenen, verführerischen Vorhaben gezogen und eben das angerichtet, was sie sollten verboten haben. Aber es hat Geld getragen und falsche Gewalt gestärkt; drum hat's müssen fortgehen, sei es auch wider Gott oder der Seelen Heil.

Solch falschen, verführerischen Glauben der einfältigen Christen auszurotten und wiederum ein rechtes Verständnis guter Werke aufzurichten, sollten alle Wallfahrten niedergelegt werden; denn es ist nichts Gutes drin, kein Gebot, kein Gehorsam, sondern unzählige Ursachen der Sünden und Verachtung von Gottes Gebot. Daher kommen so viele Bettler, die durch solch Wallen unzählige Büberei treiben, die betteln ohne Not lernen und gewohnt werden.

Da kommt her freies Leben und mehr Jammer, die ich jetzt nicht aufzählen will. Wer nun wollte wallen oder Wallfahrt geloben, sollte vorher seinem Pfarrer oder Oberherrn die Ursache anzeigen; findet sich's, daß er's tun würde um des guten Werkes willen — daß dasselbe Gelübde und Werk durch den Pfarrer oder Oberherren nur frisch mit Füßen getreten werde als ein teuflisches Gespenst und ihm angezeigt, das Geld und die Arbeit, so zur Wallfahrt gehöret, an

104. Jubel- oder Heiliges Jahr, seit 1300 eingeführt; ermöglicht den Empfang völligen Ablasses.

59

Gottes Gebot und tausendmal bessere Werke anzulegen, das ist, an die Seinen oder seine nächsten Armen. Wenn er's aber aus Lust täte, Land und Städte zu besehen, kann man ihm seinen Willen lassen. Hat er's aber in der Krankheit gelobet, daß man dieselben Gelübde verbiete, untersage und die Gebote Gottes dagegen emporhebe, daß er hinfort sich genügen lasse an dem Gelübde, in der Taufe geschehen, Gottes Gebot zu halten. Doch kann man ihm dieses Mal, sein Gewissen zu stillen, sein närrisch Gelübde lassen ausrichten. Niemand will die richtige, allgemeine Straße göttlicher Gebote wandeln; jedermann macht sich selbst neue Wege und Gelübde, als hätte er Gottes Gebot alle vollbracht.

Danach kommen wir zu dem großen Haufen, die das Viele geloben und das Wenige halten. Zürnet nicht, lieben Herren, ich mein es wahrlich gut, es ist die bittere und süße Wahrheit, und besteht darin, daß man ja nicht mehr Bettelklöster bauen lasse, hilf Gott, ihrer ist schon zuviel. Ja, wollt Gott, sie wären alle fort oder jedenfalls auf zwei oder drei Orden gehäuft. Es hat nichts Gutes getan, es tut auch nimmermehr gut ihr Laufen auf dem Land. Drum ist mein Rat, man schlage zehn oder wieviel es gerade sein müssen, auf einen Haufen und mach eines draus, das, genugsam versorgt, nicht zu betteln braucht. Oh, es muß hier vielmehr auf das geachtet werden, was dem gemeinen Haufen zur Seligkeit not ist, denn was Sankt Franziskus, Dominikus, Augustinus[105] oder überhaupt ein Mensch bestimmt hat, besonders, weil es nicht nach ihrer Absicht geraten ist. Und daß man sie enthebe des Predigens und Beichthörens, es wäre denn, daß sie von Bischöfen, Pfarrern, Gemeinde oder Obrigkeit dazu berufen und begehrt werden. Ist doch aus solchem Predigen und Beichthören nicht mehr denn lauter Haß und

---

105. Die „Stifter" der hauptsächlichen Bettelorden: Franz von Assisi (gest. 1226), Dominikus (gest. 1221), Augustin (gest. 430); doch kann letzterer nicht dafür gelten.

Neid zwischen Pfaffen und Mönchen, groß Ärgernis und Hindernis des gemeinen Volks erwachsen, womit es würdig geworden ist und wohl verdient hat, aufzuhören, dieweil man seiner wohl entraten kann. Es sieht fast so aus, als ob der Römische Stuhl solch Heer nicht umsonst gemehrt hat, damit nicht die Priesterschaft und Bistümer, ungeduldig über seine Tyrannei, einmal ihm zu stark würden und eine Reformation anfingen, die seiner Heiligkeit nicht erträglich wäre.

Dabei sollten auch aufgehoben werden so mancherlei Sekten und Unterschiede innerhalb eines Ordens, welche zuweilen um gar geringe Ursache sich erhoben und um noch viel geringere sich erhalten haben, mit unsäglichem Haß und Neid gegeneinander streitend, obgleich doch nichtsdestoweniger der christliche Glaube, der ohne alle solche Unterschiede wohl besteht, auf beiden Seiten untergeht und ein gutes christliches Leben nur nach den äußerlichen Gesetzen, Werken und Weisen geschätzt und gesucht wird; davon nicht mehr denn Gleisnerei und Seelenverderben folgen und erfunden werden, wie das jedermann vor Augen sieht.

Es müßte auch dem Papst verboten werden, mehr solcher Orden aufzusetzen oder zu bestätigen, ja befohlen werden, etliche abzutun und in wenigere Zahl zu zwingen. Sintemal der Glaube an Christus, welcher allein das Hauptgut ist und ohne irgendeinen Orden besteht, nicht wenig Gefahr erleidet, daß die Menschen durch soviel und mancherlei Werk und Weisen leichtlich verführet werden, mehr auf solche Werke und Weise zu leben, denn auf den Glauben zu achten. Und wenn nicht weise Prälaten in den Klöstern sind, die da mehr den Glauben denn des Ordens Gesetz predigen und treiben, da ist's nicht möglich, daß der Orden nicht sollte schädlich und verführerisch sein den einfältigen Seelen, die auf die Werke allein acht haben.

Nun aber sind zu unseren Zeiten gefallen fast an allen

Örtern die Prälaten, die den Glauben gehabt und die Orden eingesetzt haben; gleich wie vorzeiten bei den Kindern Israels, da die Väter abgegangen waren, die da Gottes Werk und Wunder erkannt hatten, alsbald ihre Kinder anfingen, aus Unverständnis der göttlichen Werke und des Glaubens Abgötterei und eigene menschliche Werke aufzurichten, so auch jetzt leider solche Orden, unverständig geworden göttlicher Werke und des Glaubens, nur in ihren eigenen Regeln, Gesetzen und Weisen sich jämmerlich martern, mühen und arbeiten und doch nimmer zu rechtem Verstand eines geistlichen, guten Lebens kommen, wie der Apostel II. Timot. 3 (5. 7) verkündigt hat und gesagt: „Sie haben einen Schein eines geistlichen Lebens und ist doch nichts dahinter, lernen immer und immer und kommen doch nicht dahin, daß sie wissen, was wahrhaftig geistlich Leben sei." Darum wäre es besser, daß kein Kloster da wäre, wenn kein geistlicher, im christlichen Glauben erfahrener Prälat regiert, denn derselbe kann nicht ohne Schaden und Verderben regieren und um so mehr, je heiliger und von gutem Leben er scheinet in seinen äußerlichen Werken.

Es wäre meines Bedenkens eine nötige Ordnung, besonders zu unseren fährlichen Zeiten, daß Stifte und Klöster wiederum würden auf die Weise geordnet, wie sie waren im Anfang bei den Aposteln und eine lange Zeit hernach, da es jedermann frei stand, drin zu bleiben, so lang es ihm gelüstete. Denn was sind Stifte und Klöster anders gewesen denn christliche Schulen, darinnen man lehrte Schrift und Zucht nach christlicher Weise und Leute auferzog, zu regieren und zu predigen. Wie wir lesen, daß Sankt Agnes[106] in die Schule ging, und noch sehen in etlichen Frauenklöstern wie zu Quedlin-

---

106. Die Legende läßt die Geschichte vom Martyrium der hl. Agnes, die unter Diokletian hingerichtet worden sein soll, auf dem Rückweg von der Schule beginnen.

burg[107] und dergleichen; fürwahr, es sollten alle Stifte und Klöster auch so frei sein, daß sie Gott mit freiem Willen und nicht gezwungenen Diensten dienten. Aber darnach hat man es gefasset mit Gelübden und ein ewig Gefängnis draus gemacht, daß auch dieselben angesehener sind als das Taufgelübde, was aber für Frucht draus ist kommen, sehen, hören, lesen und erfahren wir täglich mehr und mehr.

Ich glaube wohl, daß solcher mein Ratschlag für ganz töricht angesehen wird; da frag ich jetzt nicht nach. Ich rate, was mich gut dünkt, verwerfe, wer es will; ich sehe gut, wie die Gelübde werden gehalten, sonderlich das der Keuschheit, die so verbreitet durch solche Klöster wird, und doch von Christus nicht geboten ist, sondern sehr wenigen gegeben wird, wie er selbst und Sankt Paul sagt[108]. Ich wollte gern, daß jedermann geholfen wird, und nicht fangen lassen christliche Seelen durch menschliche eigene erfundene Weise und Gesetz.

Zum vierzehnten: wir sehen auch, wie die Priesterschaft gefallen und mancher arme Pfaff mit Weib und Kind überladen sein Gewissen beschwert und dennoch niemand etwas dazu tut, ihnen zu helfen; obgleich ihnen sehr wohl zu helfen wäre, lassen Papst und Bischöfe hier gehen, was da geht, verderben, was da verdirbt. Doch will ich erretten mein Gewissen und das Maul frei auftun, es verdrieße Papst, Bischof oder wen es will, und sag so:

Daß nach Christus' und der Apostel Einsetzen eine jegliche Stadt einen Pfarrer oder Bischof soll haben, wie klärlich Paulus schreibt Tit. 1 (5) und derselbe Pfarrer nicht gezwungen ist, ohn ein ehelich Weib zu leben, sondern könne eins haben wie Sankt Paul schreibt I. Timot. 3 (2) und Tit. 1 (6f.) und spricht: „Es soll ein Bischof sein

107. L. meint die fürstliche Reichsabtei für Kanonissen, bei der Stiftsschulen für Knaben und Mädchen bestanden.
108. Matth. 19, 11 f.; I. Kor. 7, 7.

ein Mann, der unsträflich sei und nur eines ehelichen Weibes Gemahl, welches Kinder gehorsam und züchtig seien usw." Denn ein Bischof und Pfarrer ist *ein* Ding bei Sankt Paul, wie das auch Sankt Hieronymus bewährt[109]. Aber von den Bischöfen, die jetzt sind, weiß die Schrift nichts, sondern sie sind von christlicher, allgemeiner Ordnung bestimmt, daß einer über viele Pfarrer regiere.

So lernen wir aus dem Apostel klärlich, daß es in der Christenheit sollte so zugehen, daß eine jegliche Stadt aus der Gemeinde einen gelehrten frommen Bürger erwählt, demselben das Pfarramt anbefehle und ihn von der Gemeinde ernähre, ihm freie Willkür ließe, ehelich zu werden oder nicht, der neben sich mehrere Priester oder Diakonen hätte, auch ehelich oder wie sie wollten, die den Haufen und die Gemeinde hülfen regieren mit Predigen und Sakramenten, wie es denn noch geblieben ist in der griechischen Kirche. Da sind nun hernachmals, da so viel Verfolgung und Streites war wider die Ketzer, viele heilige Väter gewesen, die freiwillig auf den ehelichen Stand verzichtet haben, auf daß sie desto besser studierten und bereit wären zu aller Stunde zum Tod und zum Streit.

Da ist nun der Römische Stuhl aus eigenem Übermut drein gefallen und hat ein allgemeines Gebot draus gemacht, verboten dem Priesterstand, ehelich zu sein; das hat ihn der Teufel geheißen, wie Sankt Paulus I. Timot. 4 (1. 3) ankündigt: „Es werden kommen Lehrer, die Teufelslehre bringen und verbieten, ehelich zu werden usw." Wodurch leider soviel Jammers entstanden, daß er nicht zu zählen ist und hat dadurch Ursach gegeben der griechischen Kirche, sich abzusondern und unendliche Zwietracht, Sünde, Schande und Ärgernis gemehrt, wie denn

109. Einer der vier großen abendländischen Kirchenlehrer (gest. 420) in seinem Kommentar zu der oben angegebenen Stelle Tit. 1, 6.

tut alles, was der Teufel anfängt und treibt. Was wollen wir nun hier tun?

Ich rat, man mach's wieder frei, und laß einem jeglichen seine freie Willkür, ehelich oder nicht ehelich zu werden. Aber da müßte eine sehr viel andere Verwaltung und Ordnung der Güter geschehen und das ganze geistliche Recht zu Boden gehen und nicht viel Lehen gen Rom kommen. Ich befürchte, der Geiz sei eine Ursache gewesen der elenden unkeuschen Keuschheit, daraus dann gefolget, daß jedermann hat wollen Pfaff werden und jedermann sein Kind drauf studieren lassen, nicht in der Absicht, keusch zu leben, was wohl ohne Pfaffenstand geschehen könnte, sondern sich mit zeitlicher Nahrung ohne Arbeit und Mühe zu ernähren — wider das Gebot Gottes I. Mose 3 (19): „Du sollst dein Brot essen im Schweiß deines Angesichts"; haben ihm eine Farbe angestrichen, als sollte ihre Arbeit sein beten und Meß halten.

Ich laß hier außer Betracht Papst, Bischöfe, Stiftspfaffen[110] und Mönche, die Gott nicht eingesetzt hat; haben sie sich selbst Bürden aufgelegt, so mögen sie sie auch tragen. Ich will reden von dem Pfarrstand, den Gott eingesetzt hat, der eine Gemeinde mit Predigen und Sakramenten regieren muß, bei ihnen wohnen und zeitlich haushalten. Denselben sollte durch ein christlich Konzilium Freiheit gelassen werden, ehelich zu werden, zu vermeiden Fährlichkeit und Sünde. Denn dieweil sie Gott selbst nicht gebunden hat, so soll und kann sie niemand binden, ob er gleich ein Engel vom Himmel wäre, geschweige denn Papst; und was dagegen im geistlichen Recht gesetzt ist, sind lauter Fabeln und Geschwätz.

Weiter rat ich: wer sich hinfort weihen lässet zur Pfarre oder auch sonst, daß er dem Bischof in keinem Weg gelobe, Keuschheit zu halten und halt ihm entgegen,

110. Nach geistlicher Regel lebende Mitglieder eines Stiftes, Kanoniker.

daß er solch Gelübde zu fordern gar keine Gewalt hat und ist eine teufelisch Tyrannei, solches zu fordern. Muß man aber oder will sagen, wie etliche tun: quantum fragílitas humana permíttit[111], so deute ein jeglicher dieselben Worte frei negative, id est, non promítto castitátem, denn fragílitas humana non permíttit caste vívere, sondern allein angelica fortitúdo et caeléstis virtus, auf daß er ein frei Gewissen ohn alle Gelübde behalte.

Ich will nicht raten, auch nicht wehren, daß die, so noch nicht Weiber haben, ehelich werden oder ohne Weib bleiben; ich überlasse das einer allgemeinen christlichen Ordnung und eines jeglichen besserem Verständnis. Aber dem elenden Haufen will ich meinen treuen Rat nicht verbergen und ihren Trost nicht vorenthalten, die da jetzt, mit Weib und Kind beladen, in Schanden und schwerem Gewissen sitzen, daß man sie eine Pfaffenhure, die Kinder Pfaffenkinder schilt; und sag das als mein Hofrecht frei.

Man findet manchen frommen Pfarrer, dem sonst niemand einen Tadel geben kann, denn daß er schwach ist und mit einem Weib zuschanden worden, welche doch beide so gesinnet sind in ihres Herzens Grund, daß sie gerne wollten immer beieinander bleiben in rechter ehelicher Treue, wenn sie nur das könnten mit gutem Gewissen tun, obgleich sie die Schande müssen öffentlich tragen; die zwei sind gewiß vor Gott ehelich. Und hier sag ich, daß, wenn sie so gesinnet sind und so in ein Leben kommen, daß sie nur ihr Gewissen frisch erretten, er nehme sie zum ehelichen Weib, behalt sie und leb sonst redlich mit ihr wie ein ehelicher Mann, unangese-

---

111. „soweit es die menschliche Schwachheit gestattet, ... frei im verneinenden Sinne, d. h., ich verspreche nicht Enthaltsamkeit, denn die menschliche Schwachheit erlaubt nicht, enthaltsam zu leben, sondern allein engelhafte Stärke und himmlische Kraft."

hen, ob das der Papst will oder nicht will, es sei wider geistlich oder fleischlich Gesetz. Es liegt mehr an deiner Seelen Seligkeit denn an den tyrannischen, eigengewaltigen, übermütigen Gesetzen, die zur Seligkeit nicht not sind, noch von Gott geboten, und sollst ebenso tun wie die Kinder von Israel, die den Ägyptern stahlen ihren verdienten Lohn[112] oder wie ein Knecht seinem böswilligen Herrn seinen verdienten Lohn stehlen würde, ebenso stiehl auch dem Papst dein ehelich Weib und Kind.

Wer den Glauben hat, solches zu wagen, der folge mir nur frisch, ich will ihn nicht verführen; hab ich nicht Gewalt als ein Papst, so hab ich doch Gewalt als ein Christ, meinem Nächsten zu helfen und zu raten von seinen Sünden und Fährlichkeiten. Und das nicht ohne Grund und Ursach. Zum ersten: es kann niemals ein Pfarrer eines Weibes ermangeln, nicht allein der Schwachheit, sondern vielmehr des Haushaltens halben. Soll er denn ein Weib halten — und der Papst läßt ihm das zu —, doch nicht zur Ehe haben, was ist das anders, denn einen Mann und Weib beieinander allein lassen und doch verbieten, sie sollten nicht fallen, ebenso wie Stroh und Feuer zusammenlegen und verbieten, es soll weder rauchen noch brennen. Zum anderen: daß der Papst solches nicht Macht hat zu gebieten, ebensowenig wie er Macht hat zu verbieten essen, trinken und den natürlichen Ausgang oder feist werden; drum ist's niemand schuldig zu halten; und der Papst ist schuldig aller Sünde, die dawider geschehen, aller Seelen, die dadurch verloren sind, aller Gewissen, die dadurch verwirret und gemartert sind, daß er wohl längst würdig wäre, daß ihn einer aus der Welt vertriebe; soviel elende Seelen hat er mit dem teuflischen Strick erwürgt, wiewohl ich hoffe, daß vielen Gott an ihrem Ende gnädiger sei gewesen denn der Papst in ihrem Leben. Es ist noch nie Gutes, und wird nimmermehr, aus dem Papsttum und seinen Geset-

112. II. Mose 12, 35 f.

zen gekommen. Zum dritten: obschon des Papsts Gesetz dawider ist, wenn dennoch ein ehelicher Stand wird angefangen wider des Papstes Gesetz, so ist schon sein Gesetz aus und gilt nicht mehr; denn Gottes Gebot, der da gebeut, daß Mann und Weib niemand scheiden soll, geht weit über des Papsts Gesetz, und es darf nicht Gottes Gebot um des päpstlichen Gebotes willen zerrissen werden und nachbleiben. Wie wohl viele tolle Juristen mit dem Papst haben impediménta[113] erfunden und dadurch verhindert, zerteilet, verwirret den ehelichen Stand, so daß Gottes Gebot ist drob ganz untergegangen. Was soll ich viel sagen, sind doch in dem ganzen geistlichen Papstgesetz nicht zwei Zeilen, die einen frommen Christen könnten unterweisen, und leider so viel irrige und gefährliche Gesetze, daß nichts besser wäre, als man machte einen Rottenhaufen daraus.

Sprichst du aber, es sei anstößig und es müsse zuvor der Papst drin dispensieren, so sag ich, was anstößig drin ist, das sei des Römischen Stuhls Schuld, der solch Gesetz ohn Recht und wider Gott gesetzt hat; vor Gott und der Heiligen Schrift ist es nicht anstößig. Ebenso wie der Papst kann dispensieren ums Geld in seinen geldsüchtigen, tyrannischen Gesetzen, kann auch ein jeglicher Christ um Gottes und der Seelen Seligkeit willen eben in demselben dispensieren. Denn Christus hat uns frei gemacht von allen Menschengesetzen, vor allem, wenn sie wider Gott und der Seelen Seligkeit sind, wie Gal. 5 (1) und I. Kor. 9 (4 ff.; 10, 23) Sankt Paulus lehret.

Zum fünfzehnten. Daß ich auch der armen Klöster nicht vergeß. Es hat der böse Geist, der nun alle Stände durch Menschengesetz verwirret und unerträglich gemacht hat, auch etliche Äbte, Äbtissinnen und Prälaten besessen, daß sie ihren Brüdern und Schwestern so vorstehen, daß sie nur bald zur Hölle fahren und ein elendes Leben auch hier führen, wie denn tun alle Teufels-

113. Ehehindernisse.

marterer. Nämlich, sie haben sich vorbehalten in der Beicht alle oder jedenfalls etliche Todsünden, die da heimlich sind, daß von denen kein Bruder den anderen soll lossprechen bei Bann und Gehorsam. Nun findet man an allen Orten nicht allezeit Engel, sondern auch Fleisch und Blut, die eher allen Bann und Drohung leiden, ehe sie den Prälaten und ihren bestimmten Beichtigern ihre heimliche Sünde wollen beichten, gehen drauf zum Sakrament mit solchen Gewissen; dadurch sie denn irreguláres[114] werden und des Jammers viel mehr. O blinde Hirten, o tolle Prälaten, o reißende Wölfe.

Hier sag ich: wenn die Sünde öffentlich ist oder bekannt, so ist's billig, daß der Prälat allein sie strafe, und diese allein und keine anderen kann er sich vorbehalten und ausnehmen, über die heimlichen hat er keine Gewalt, wenn es gleich die ärgsten Sünden wären, die man findet oder finden kann. Und wenn der Prälat dieselben ausnimmt, so ist er ein Tyrann, hat dazu kein Recht, greift in Gottes Gericht. So rat ich denselben Kindern, Brüdern und Schwestern: Wollen die Obersten nicht Erlaubnis geben, zu beichten die heimlichen Sünden, welchem du willst, so nimm sie selber und klage sie deinem Bruder oder Schwester, wem oder wo du willst, laß dich absolvieren und trösten, geh und tu drauf, was du willst und sollst, glaub nur fest, daß du seist absolviert, so hat es nicht Not. Und den Bann, Irregularität oder was sie mehr androhen, laß dich nicht betrüben oder irremachen; sie gelten nicht weiter, denn in bezug auf die öffentlichen oder bekannten Sünden; wenn die jemand nicht bekennen will, so geht's dich nichts an. Was nimmst du dir vor, du blinder Prälat, durch dein Drohen heimlicher Sünde zu wehren? Laß fahren, was du nicht öffentlich erhalten kannst, auf daß Gottes Gericht und Gnade auch zu schaffen habe mit den deinen. Er hat sie dir nicht so

114. Regelwidrig; unfähig, ein Kirchenamt zu bekleiden.

ganz in deine Hand befohlen, daß er sie ganz aus seiner gelassen hätte. Ja, du hast das wenigere Teil unter dir; laß dein Statut Statut sein und heb sie nicht in den Himmel, in Gottes Gericht.

Zum sechzehnten. Es wäre auch not, daß die Jahrtage, Begängnisse, Seelmessen[115] ganz abgetan oder jedenfalls verringert würden, darum, daß wir öffentlich sehen vor Augen, daß nicht mehr denn ein Spott draus worden ist, womit Gott höchlich erzürnet wird, und nur auf Geld, Fressen und Saufen gerichtet sind. Was sollte Gott für einen Gefallen daran haben, wenn die elenden Vigilien[116] und Messen so jämmerlich geplappert werden, weder gelesen noch gebetet; und ob sie schon gebetet werden, so werden die doch nicht um Gottes willen aus freier Liebe, sondern um Geldes willen und verpflichteter Schuld vollbracht. Nun ist's doch nicht möglich, daß Gott ein Werk gefalle oder etwas bei ihm erlange, das nicht in freier Liebe geschieht. So ist's jedenfalls christlich, daß wir alles abtun oder jedenfalls verringern, von dem wir sehen, daß es mißbraucht wird und Gott mehr erzürnt denn versöhnt. Es wäre mir lieber, ja Gott angenehmer und viel besser, daß ein Stift, Kirche oder Kloster alle ihre jährlichen Messen und Vigilien auf einen Haufen nähmen und hielten einen Tag lang eine rechte Vigilie und Messe mit herzlichem Ernst, Andacht und Glauben für alle ihre Wohltäter, denn daß sie ihrer tausend und tausend alle Jahr, einem jeglichen eine besondere hielten, ohne solche Andacht und Glauben. O lieben Christen, es liegt Gott nicht an vielem, sondern am rechten Beten. Ja, er verdammt die langen und vielen Gebete, Matth. 6 (7), und sagt, sie werden nur mehr Pein damit verdienen. Aber der Geiz, der Gott nicht

115. Tage bzw. Gottesdienste, bei denen das Meßopfer zugunsten Verstorbener dargebracht werden soll.
116. Besondere Vorbereitungsgottesdienste und deren Formulare.

70

kann trauen, richtet solch Wesen an, hat Sorge, er müßte Hungers sterben.

Zum siebzehnten. Man müßte auch abtun etliche Pönae oder Strafen des geistlichen Rechts, sonderlich das Interdikt[117], welches ohne allen Zweifel der böse Geist erdacht hat. Ist das nicht ein teuflisch Werk, daß man eine Sünd bessern will mit vielen und größeren Sünden? Es ist doch größere Sünde, daß man Gottes Wort und Dienst schweigen läßt oder niederlegt, als wenn einer zwanzig Päpste hätt' erwürgt auf einmal, geschweig denn einen Priester — oder geistlich Gut behalten[118]. Es ist auch der zarten Tugenden eine, die im geistlichen Recht gelernt werden; denn das geistliche Recht heißt auch darum geistlich, daß es kommt von dem Geist, nicht von dem heiligen Geist, sondern von dem bösen Geist.

Den Bann sollte man nicht eher gebrauchen, denn wo die Schrift Weisung gibt, ihn zu brauchen, das ist, wider die, die da nicht recht glauben oder in öffentlichen Sünden leben, nicht um zeitlichen Guts willen. Aber nun ist's umgekehrt, es glaubt, lebt jedermann, wie er will, eben die da am meisten, die andere Leute schinden und schänden mit Bannen; und alle Banne sind jetzt nur um zeitliches Gut im Schwange, welches wir auch niemand denn dem heiligen, geistlichen Unrecht zu danken haben. Davon ich vorhin im Sermon[119] Weiteres gesagt habe.

Die anderen Strafen und Pönen, Suspension[120], Irregularität[121], Aggravation, Reaggravation[122], Deposition[123], Blitzen, Donnern, Vermaledeien, Verdammen

117. S. Anm. 26, S. 19.
118. Gründe, die zum Interdikt führen können.
119. „Über die Kraft des Bannes", September 1518.
120. Zeitweilige Aufhebung des Rechtes zur Ausübung geistlicher Funktionen.
121. Vgl. Anm. 114, S. 69.
122. Beschwerung, d. h. Verschärfung der Strafe.
123. Dauernde Amtsenthebung.

und was der Fündlein mehr sind, sollte man zehn Ellen tief begraben in die Erden, daß auch ihr Nam und Gedächtnis nicht mehr auf Erden wäre. Der böse Geist, der durchs geistlich Recht ist los worden, hat solch greuliche Plage und Jammer in das himmlische Reich der heiligen Christenheit gebracht und nicht mehr denn Seelenverderben und Hindern dadurch angerichtet, so daß wohl kann von ihnen verstanden werden das Wort Christi, Matthäi 23 (13): „Weh euch Schriftgelehrten; ihr habt euch genommen, die Gewalt zu lehren, und schließet zu das Himmelreich vor den Menschen, ihr geht nicht hinein und wehret denen, die hinein gehen."

Zum achtzehnten. Daß man alle Feste abtäte und allein den Sonntag behalte; wollte man aber je unserer Frauen und der großen Heiligen Feste halten, daß sie alle auf den Sonntag würden verlegt, oder nur des Morgens zur Messe gehalten, danach sollte man den ganzen Tag Werkeltag sein lassen. Ursach: denn so wie nun der Mißbrauch mit Saufen, Spielen, Müßiggang und allerlei Sünde im Gange ist, erzürnen wir Gott mehr an den heiligen Tagen denn an den anderen. Und verkehrterweise ist es so, daß heilige Tage nicht heilig, Werkeltage aber heilig sind und weder Gott noch seinen Heiligen ein Dienst, sondern große Unehre geschieht mit den vielen Heiligentagen; wiewohl etliche tolle Prälaten meinen, wenn sie Sankt Ottilien, Sankt Barbaren und ein jeglicher nach seinem blinden Eifer ein Fest macht, hab er ein gar gut Werk getan; obgleich er doch ein viel besseres tät, wenn er zu Ehren einem Heiligen aus einem Heiligentag einen Werkeltag machte.

Dazu nimmt der gemeine Mann doppelten leiblichen Schaden über diesem geistlichen Schaden, daß er seine Arbeit versäumt, dazu mehr verzehrt denn sonst, ja, auch seinen Leib schwächt und ungeschickt macht, wie wir das täglich sehen und doch niemand zu bessern gedenkt. Und hier sollte man nicht beachten, ob der Papst die Feste eingesetzt hat oder man eine Dispensation und Urlaub haben müßte; was wider Gott ist und den Menschen schädlich an Leib und Seel, hat nicht allein eine jegliche Gemeinde, Rat oder Obrigkeit Gewalt, abzutun und zu wehren, ohne Wissen und Willen des Papstes oder Bischofs. Ja, man ist auch schuldig, bei seiner Seelen Seligkeit, demselben zu wehren, ob es gleich Papst und Bischöfe nicht wollten, die doch die ersten sollten sein, solchem zu wehren.

Und zuvor sollte man die Kirchweihen ganz austilgen, sintemal sie nichts anderes sind denn rechte Tabernen, Jahrmärkte und Spielhöfe geworden, nur zur Mehrung von Gottes Unehre und der Seelen Unseligkeit. Es hilft nichts, daß man vorwendet, es sei im Prinzip gut und ein gut Werk. Hob doch Gott sein eigen Gesetz auf, das er vom Himmel herab gegeben hat, da es in einen Mißbrauch verkehrt worden war, und kehret noch täglich um, was er gesetzt, zerbricht, was er gemacht hat, um desselben verkehrten Mißbrauchs willen, wie im 18. Psalm (27) steht von ihm geschrieben: „Du verkehrtest dich mit den verkehrten."

Zum neunzehnten. Daß die Grade oder Glieder würden geändert, in welchen der eheliche Stand wird verboten, als da sind Gevatterschaften[124], der vierte und dritte Grad[125]; daß, worin der Papst kann dispensieren um Geld und schändlicherweise verkauft, daß auch daselbst könne ein jeglicher Pfarrer dispensieren umsonst und um der Seelen Seligkeit willen. Ja, wollte Gott, daß alles, was man zu Rom muß kaufen und den Geldstrick, das geistliche Gesetz, muß lösen, daß ein jeglicher Pfarrer dasselbe ohne Geld könnte tun und erlassen, als da sind Ablaß, Ablaßbriefe, Butterbriefe, Meßbriefe und was

124. Sog. geistliche Verwandtschaften, als durch die Taufpatenschaften entstanden gedacht.
125. Vetternschaft zweiten oder dritten Grades als Ehehindernis.

der Confessionália[126] oder Büberei mehr sind zu Rom, womit das arme Volk wird betrogen und ums Geld gebracht. Denn wenn der Papst Macht hat, seine Geldstricke und geistliche Netze (Gesetze sollt ich sagen) zu verkaufen ums Geld, hat gewißlich ein Pfarrer viel mehr Gewalt, dieselben zu zerreißen und um Gottes willen mit Füßen zu treten; hat er aber dazu keine Gewalt, so hat auch der Papst keine Gewalt, dieselben durch seinen schändlichen Jahrmarkt zu verkaufen.

Dahin gehöret auch, daß die Fasten würden frei gelassen einem jedermann und allerlei Speise frei gemacht, wie das Evangelium gibt. Denn sie selbst spotten zu Rom der Fasten, lassen uns draußen Öl fressen, mit dem sie ihre Schuhe nicht schmieren lassen würden, verkaufen uns darnach Freiheit, Butter und allerlei zu essen, obgleich der heilige Apostel sagt, daß wir zu dem allem ohnehin Freiheit haben aus dem Evangelium. Aber sie haben mit ihrem geistlichen Recht uns gefangen und gestohlen, auf das wir's mit Geld wieder kaufen müssen, haben damit so blöde, schüchterne Gewissen gemacht, daß man kaum mehr von dieser Freiheit predigen kann, darum, daß sich das gemeine Volk so sehr dran ärgert und erachtet es für größre Sünde, Butter zu essen, denn lügen, schwören oder auch Unkeuschheit treiben. Es ist dennoch Menschenwerk, das Menschen gesetzt haben; man leg es, wohin man will, und es entsteht nimmer nichts Gutes draus.

Zum zwanzigsten. Daß die wilden Kapellen und Feldkirchen würden zu Boden verstöret, als da sind die, wo die neuen Wallfahrten hingehen: Wilsnack, Sternberg, Trier, das Grimmental und jetzt Regensburg[127]

126. Vgl. Anm. 68 und 69, S. 43.
127. Das sog. Heilige Blut zu Wilsnack in der Westpriegnitz. Die Wallfahrten machten das Dorf zur Kleinstadt! Sternberg in Mecklenburg (Hl. Blut), Trier (Hl. Rock), Grimmenthal in ehem. Sachsen-Meiningen, Regensburg (Wallfahrt zur ,Schönen Maria').

und der Anzahl viel mehr. Oh, wie schwere, elende Rechenschaft werden die Bischöfe müssen geben, die solchs Teufelsgespenst zulassen und Nutzen davon haben; sie sollten die ersten sein, demselben zu wehren. So meinen sie, es sei göttlich, heilig Ding, sehen nicht, daß der Teufel solches treibt, den Geiz zu stärken, falschen, erdichteten Glauben aufzurichten, Pfarrkirchen zu schwächen, Tabernen und Hurerei zu mehren, unnütz Geld und Arbeit zu verlieren und nur das arme Volk an der Nase herumzuführen. Hätten sie die Schrift so gut gelesen wie das verdammte geistliche Gesetz, sie wüßten den Sachen wohl zu raten.

Es hilft auch nichts, daß Wunderzeichen da geschehen; denn der böse Geist kann wohl Wunder tun, wie uns Christus verkündigt hat Matth. 24 (24). Wenn sie den Ernst dazu täten und verböten solches Wesen, die Wunder würden bald aufhören; oder wäre es von Gott, es würde sich nicht hindern lassen durch ihr Verbieten. Und wenn kein anderes Zeichen wäre, daß solches nicht von Gott sei, wäre das genug, daß die Menschen tobend, ohne Vernunft in Haufen wie das Vieh laufen, welches unmöglich aus Gott sein kann; ebenso hat auch Gott nichts davon geboten, ist kein Gehorsam, kein Verdienst da; drum sollte man frisch dreingreifen und dem Volk wehren. Denn was nicht geboten ist und sich mehr aufdrängt als Gottes Gebot, das ist gewißlich der Teufel selbst. Ebenso haben die Pfarrkirchen Nachteil davon, daß sie weniger geehret werden. Summa summarum: Es sind Zeichen eines großen Unglaubens im Volk; denn wenn sie recht glaubten, hätten sie alle Dinge in ihren eigenen Kirchen, wohin zu gehen ihnen geboten ist.

Aber was soll ich sagen; ein jeglicher denkt nur, wie er eine solche Wallfahrt in seinem Kreis aufrichte und erhalte, ohne jede Sorge darum, wie das Volk recht glaube und lebe; die Regenten sind wie das Volk, ein

Blinder führt den anderen. Ja, wenn die Wallfahrten nicht wollen angehen, fängt man die Heiligen an zu erheben, nicht den Heiligen zu Ehren, die wohl ohne ihre Erhebung genug geehrt wurden, sondern um Gelaufe und ein Geldzubringen aufzurichten. Da hilft nun Papst und Bischof zu; hier regnet es Ablaß, dazu hat man Geldes genug. Aber, was Gott geboten hat, darum sorgt sich niemand, dem läuft niemand nach, dazu hat niemand Geld. Ach, daß wir so blind sind und dem Teufel in seinen Gespenstern nicht allein seinen Mutwillen lassen, sondern auch stärken und mehren. Ich wollt', man ließe die lieben Heiligen in Frieden und das arme Volk unverführet. Welcher Geist hat dem Papst Gewalt gegeben, die Heiligen zu erheben? Wer sagt's ihm, ob sie heilig oder nicht heilig sind? Es sind sonst nicht Sünden genug auf Erden, man muß Gott auch versuchen, in sein Urteil fallen und die lieben Heiligen zu Lockvögeln des Geldes machen.

Drum rat ich, man laß sich die Heiligen selbst erheben. Ja, Gott allein sollte sie erheben, und jeglicher bleibe in seiner Pfarre, wo er mehr findet als in allen Wallfahrtskirchen, wenn sie gleich alle eine Wallfahrtskirche wären. Hier findet man Taufe, Sakrament, Predigt und deinen Nächsten, welches größere Dinge sind denn alle Heiligen im Himmel; denn sie alle sind durchs Wort Gottes und Sakrament geheiligt worden. Dieweil wir denn solch große Dinge verachten, ist Gott in seinem zornigen Urteil gerecht, dem Teufel zuzubilligen, daß er uns hin und her führet, Wallfahrten aufrichtet, Kapellen und Kirchen anhebt, Heiligenerhebungen zurichtet und dergleichen Narrenwerk mehr, womit wir aus rechtem Glauben in neuen falschen Mißglauben fahren, gleichwie vor zeiten tat dem Volk von Israel, das er von dem Tempel zu Jerusalem an unzählige Örter verführte, doch in Gottes Namen und mit gutem Schein von Herrlichkeit, dawider alle Propheten predigten und drob sind gemartert worden. Aber jetzt predigt niemand dawider, es würden ihn vielleicht Bischöfe, Papst, Pfaffen und Mönche auch martern. Derart muß jetzt auch Antonínus zu Florenz[128] und etliche mehr heilig und erhoben werden, auf daß ihre Heiligkeit zum Ruhm und Geld dienen könne, die sonst allein zu Gottes Ehre und gutem Exempel hätte gedienet.

Und ob schon Heiligenerhebung vorzeiten wäre gut gewesen, so ist's doch jetzt nimmer gut; gleich wie viel andere Dinge vorzeiten sind gut gewesen und doch nun ärgerlich und schädlich, als da sind Feiertage, Kirchenschatz und Zierden. Denn es ist offenbar, daß durch Heiligenerhebung nicht Gottes Ehre noch der Christen Besserung, sondern Geld und Ruhm gesucht wird, daß eine Kirche will etwas Besonderes vor der anderen sein und haben und es ihr leid wäre, daß eine andere das gleiche hätte und ihr Vorteil allgemein wäre; so gänzlich hat man geistliche Güter zu Mißbrauch und Gewinst zeitlicher Güter verordnet in dieser ärgsten, letzten Zeit, so daß alles, was Gott selber ist, muß dem Geiz dienen. Ebenso dienet solcher Vorteil nur zur Entzweiung, Sekten und Hoffart, daß die Kirchen, einander ungleich, sich untereinander verachten und erheben, obgleich doch alle göttlichen Güter allen gemeinsam und gleich sind, nur zur Einigkeit dienen sollen; da hat der Papst auch seine Lust dran, dem leid wäre, wenn alle Christen gleich und eines wären.

Hier gehöret her, daß man abtun sollte oder verachten oder jedenfalls allgemein machen aller Kirchen Freiheit, Bullen und was der Papst verkauft zu Rom auf seinem Schindanger. Denn wenn er Wittenberg, Halle, Venedig[129] und zuvor seinem Rom verkauft oder

128. Dessen Kanonisation dann 1523 erfolgte.
129. Orte, die durch große Reliquiensammlungen (W.: Allerheiligenstift, H.: Dom, V.: S. Marco) entsprechende Gnaden an sich zogen.

gibt Indúlta[130], Privilegien, Ablaß, Gnade, Vorteil, facultátes[131], warum gibt er's nicht allen Kirchen insgemein? Ist er nicht schuldig, allen Christen zu tun umsonst und um Gottes Willen alles, was er vermag, ja, auch sein Blut für sie zu vergießen, so sag mir, warum gibt er oder verkauft er dieser Kirche und der anderen nicht? Oder muß das verfluchte Geld in seiner Heiligkeit Augen solch einen großen Unterschied machen unter den Christen, die alle gleich Taufe, Wort, Glauben, Christentum, Gott und alle Dinge haben? Will man uns denn durchaus mit sehenden Augen blind machen und mit reiner Vernunft töricht machen, daß wir solchen Geiz, Büberei und Spiegelfechten sollen anbeten? Er ist ein Hirte, ja — wenn du Geld hast, weiter nicht; und sie schämen sich dennoch nicht solcher Büberei, mit ihren Bullen uns hin und her zu führen. Es ist ihnen nur um das verfluchte Geld zu tun und sonst nichts mehr.

So rat ich, wenn solch Narrenwerk nicht wird abgetan, daß ein jeglicher frommer Christenmensch seine Augen auftue und lasse sich mit den römischen Bullen, Siegeln und der Gleißnerei nicht irren, bleib daheim in seiner Kirche und laß sich seine Taufe, Evangelium, Glauben, Christus und Gott, der an allen Orten gleich ist, das beste sein und den Papst bleiben einen blinden Führer der Blinden. Es kann dir weder Engel noch Papst soviel geben wie dir Gott in deiner Pfarre gibt, ja, er verführt dich von den göttlichen Gaben, die du umsonst hast, auf seine Gaben, die du kaufen mußt, und gibt dir Blei statt Gold, Fell statt Fleisch, Schnur statt den Beutel, Wachs statt Honig, Wort statt des Gutes, Buchstaben statt den Geist, wie du vor Augen siehst und willst es dennoch nicht merken. Solltest du auf seinem

130. Gnadenerweise.
131. Bestimmten Personen vom Papst erteilte Vollmachten, Gnadenerweise zu spenden, die vielfach auch im Entbinden von kirchlichen oder staatlichen Pflichten bestehen.

Pergament und Wachs gen Himmel fahren, so wird dir der Wagen gar bald zerbrechen und du in die Hölle fahren, nicht in Gottes Namen. Laß dir's nur eine gewisse Regel sein: was du vom Papst kaufen mußt, das ist nicht gut noch von Gott; denn was aus Gott ist, das wird nicht allein umsonst gegeben, sondern alle Welt wird drum gestraft und verdammt, daß sie es nicht hat gewollt umsonst aufnehmen als da ist das Evangelium und göttliche Werke. Solche Verführerei haben wir verdient um Gott, daß wir sein heiliges Wort der Taufgnade verachtet haben, wie Sankt Paulus sagt: „Gott wird senden eine kräftige Irrung allen denen, die die Wahrheit nicht haben aufgenommen zu ihrer Seligkeit, auf daß sie glauben und folgen den Lügen und Bübereien, wie sie würdig sind[132]."

Zum einundzwanzigsten. Es ist wohl der größten Notwendigkeiten eine, daß alle Bettelei abgetan würde in aller Christenheit. Es sollte niemals jemand unter den Christen betteln gehen, es wäre auch leicht eine Ordnung drob zu machen, wenn wir den Mut und Ernst dazu täten. Nämlich, daß eine jegliche Stadt ihre armen Leute versorgte und keinen fremden Bettler zuließe, sie hießen, wie sie wollten, es wären Wallfahrtsbrüder oder Bettelorden. Es könnte immer eine jegliche Stadt die ihren ernähren; und wenn sie zu schwach wäre, daß man auf den umliegenden Dörfern auch das Volk ermahnet, dazu zu geben; müssen sie doch sonst zuviel Landläufer und böse Buben unter des Bettelns Namen ernähren. So könnte man auch feststellen, welche wahrhaftig arm wären oder nicht.

Ebenso müßte da sein ein Verweser oder Vormund, der alle die Armen kennte und was ihnen not wäre, dem Rat oder Pfarrer ansagte oder wie das aufs beste könnte geordnet werden. Es geschieht meines Achtens auf keinem Handel so viel an Bübereien und Trügereien wie

132. II. Thess. 2, 11 ff.

auf dem Bettel, die da alle wären leichtlich zu vertreiben. Ebenso geschieht dem gemeinen Volk Wehe durch solch freies allgemeines Betteln. Ich hab's überlegt: die fünf oder sechs Bettelorden[133] kommen des Jahres an einen Ort ein jeglicher mehr denn sechs oder sieben Mal, dazu die gewöhnlichen Bettler, Botschafter[134] und Wallfahrtsbrüder, daß sich die Rechnung ergeben hat, daß eine Stadt etwa sechzigmal im Jahr geschatzt wird; ohne das, was der weltlichen Obrigkeit an Gebühr, Aufsatz und Schatzung gegeben wird und der römische Stuhl mit seiner Ware raubet und sie unnützlich verzehren, so daß mir's der größten Gotteswunder eines ist, wie wir dennoch bleiben können und ernähret werden.

Daß aber etliche meinen, es würden auf diese Weise die Armen nicht gut versorgt und nicht so große steinerne Häuser und Klöster erbaut, auch nicht so reichlich — das glaub ich sehr wohl. Ist's doch auch nicht nötig; wer arm will sein, soll nicht reich sein, will er aber reich sein, so greif er mit der Hand an den Pflug und such's selbst aus der Erde. Es ist genug, daß die Armen angemessen versorgt sind, so daß sie nicht Hungers sterben noch erfrieren. Es gehört sich nicht, daß einer auf des anderen Arbeit hin müßig gehe, reich sei und wohl lebe bei eines anderen Übelleben, wie jetzt der verkehrte Brauch geht. Denn Sankt Paul sagt: „Wer nicht arbeitet, soll auch nicht essen[135]." Es ist niemand dazu bestimmt, von der anderen Güter zu leben, denn allein die predigenden und regierenden Priester, wie Sankt Paulus I. Kor. 9 (14) (sagt), um ihrer geistlichen Arbeit willen, wie auch Christus sagt zu den Aposteln: „Ein jeglicher Wirker ist würdig seines Lohns[136]."

133. Franziskaner, Dominikaner, Augustinereremiten, Karmeliter, Serviten, Kapuziner.

134. Vermutlich die wandernden „stationarii" gemeint, die gegen Lohn versprechen, dem Geber milder Gaben die Fürbitte bestimmter Heiliger zuzuwenden.

135. II. Thess. 3, 10.   136. Luk. 10, 7.

Zum zweiundzwanzigsten. Es ist auch zu besorgen, daß die vielen Messen, die auf Stifte und Klöster gestiftet sind, nicht allein wenig nütze sind, sondern großen Zorn Gottes erwecken. Derhalben es nützlich wäre, derselben nicht mehr zu stiften, sondern der gestifteten viele abzutun, sintemal man sieht, wie sie nur für Opfer und gute Werke gehalten werden, obgleich sie doch Sakramente sind gleichwie die Taufe und Buße, welche nicht für andere, sondern allein dem, der sie empfängt, von Nutzen sind. Aber nun ist es eingerissen, daß Messen für Lebendige und Tote werden gehalten und alle Dinge drauf gegründet werden; darum ihrer auch soviel gestiftet werden und ein solch Wesen draus geworden ist, wie wir sehen. Doch dies ist vielleicht ein noch zu frisches und unerhörtes Ding, sonderlich denen, die durch solcher Messen Fortfall sorgen, es werde ihnen ihr Handwerk und Nahrung niedergelegt; ich muß mir weiter davon zu reden sparen, bis daß wieder aufkomme rechtes Verständnis, was und wozu die Messe gut sei. Es ist leider nun viele Jahre lang ein Handwerk zeitlicher Nahrung draus geworden, daß ich hinfort raten wollte, lieber ein Hirte oder sonst ein Werkmann als ein Priester oder Mönch zu werden, es sei denn, er wisse zuvor wohl, was Meßhalten sei.

Ich rede aber hiermit nicht von den alten Stiften und Domen, welche ohne Zweifel dazu gestiftet sind, daß, dieweil nicht ein jegliches Kind vom Adel Erbbesitzer und Regierer sein soll nach deutscher Nation Sitten, es in denselben Stiften möchte versorgt werden und allda Gott frei dienen, studieren und gelehrte Leute werden und machen. Ich rede von den neuen Stiften[137], die nur zum Gebet und Meßhalten gestiftet sind, durch deren Exempel auch die alten mit gleichem Gebet und Messen beschweret werden, so daß dieselben zu nichts nutz sind

137. Religiöse Genossenschaften, zur Erlangung besonderer geistlicher Gnaden dienend.

oder sehr wenig; wiewohl es auch von Gottes Gnaden kommt, daß sie zuletzt, wie sie würdig sind, kommen auf die Hefe, das ist auf der Choralsänger und Orgel Geschrei und faule, kalte Messe, womit nur die zeitlichen gestifteten Zinsen erlangt und verzehrt werden. Ach, solche Dinge sollten Papst, Bischöfe, Doctores besehen und beschreiben; jetzt sind sie es, die es am meisten treiben, lassen's immer einhergehen, was nur Geld bringt, führet immer ein Blinder den anderen; das macht der Geiz und das geistliche Recht.

Es dürfte aber auch nicht mehr sein, daß eine Person mehr denn eine Domherrnstelle und Pfründe hätte, und er müßte sich mit einer maßvollen Stellung begnügen, so daß neben ihm auch ein anderer etwas haben kann. Auf daß derer Entschuldigung verschwinde, die da sagen, sie müßten zu ihres angemessenen Lebensstandes Erhaltung mehr denn eine haben. Man könnte nun den angemessenen Lebensstand so groß bemessen, daß ein ganzes Land nicht genug wäre zu seiner Erhaltung, gleichwohl läuft der Geiz und das heimliche Mißtrauen zu Gott ganz sicher daneben her, so daß oft als Notwendigkeit des angemessenen Lebensstandes herangezogen wird, was lauter Geiz und Mißtrauen ist.

Zum dreiundzwanzigsten. Die Bruderschaften, item Ablaß, Ablaßbriefe, Butterbriefe, Meßbriefe, Dispensation und was dergleichen ist, nur alles ersäuft und umgebracht! Da ist nichts Gutes dran! Kann der Papst dich dispensieren im Butteressen, Meßhören usw., so soll er's den Pfarrer auch können lassen, dem er's nicht Macht hat zu nehmen. Ich rede auch von den Bruderschaften, darinnen man Ablaß, Messe und gute Werke austeilt. Lieber, du hast in der Taufe eine Bruderschaft mit Christo, allen Engeln, Heiligen und Christen auf Erden angefangen; halt dieselbe und tu ihr genug, so hast du genug Bruderschaften, laß die andern gleißen, wie sie wollen, sie sind dennoch wie die Zahlpfennige gegen

Gulden. Wo aber eine solche wäre, die Geld sammelte, arme Leute zu speisen oder sonst jemanden zu helfen, die wäre gut und hätte ihren Ablaß und Verdienst im Himmel. Aber jetzt sind Collationen[138] und Sauferei draus geworden.

Zuvor sollt' man verjagen aus deutschen Landen die päpstlichen Botschafter mit ihren Fakultäten[139], die sie uns um großes Geld verkaufen, was doch lauter Büberei ist, als da sind, wenn sie Geld nehmen und machen unrecht Gut recht, lösen auf die Eide, Gelübde und Bünde, zerreißen damit und lehren zerreißen Treu und Glauben, untereinander zugesagt, sprechen, der Papst hab Gewalt darüber. Das heißet sie der böse Geist reden und verkaufen uns so teuflische Lehre, nehmen Geld drum, daß sie uns Sünden lehren und zur Hölle führen.

Wenn es keine andere böse Tücke gäbe, die da bewiese, daß der Papst der rechte Antichrist sei, so wäre eben dieses Stück genugsam, das zu beweisen. Hörest du es, Papst — nicht der allerheiligste, sondern der allersündigste —, daß Gott deinen Stuhl vom Himmel alsbald zerstören und in den Abgrund senken wird? Wer hat dir Gewalt gegeben, dich zu erheben über deinen Gott, das zu zerbrechen und zu lösen, was er geboten hat, und die Christen, sonderlich die deutsche Nation, die als von edler Natur, beständig und treu in allen Historien gelobt wird, zu lehren, unbeständig, meineidig, Verräter, Bösewichte, treulos zu sein. Gott hat geboten, man soll Eid und Treu halten auch den Feinden, und du unterwindest dich, solches Gebot aufzulösen, bestimmst in deinen ketzerischen Dekretalen, du habest dazu Vollmacht, und durch deinen Hals und Feder lügt der böse Satan, wie er noch nie gelogen hat, zwingst und dringst die Schrift nach deinem Mutwillen. Ach Christe, mein Herr, dich erhebe; laß herbrechen deinen jüngsten Tag

138. Mahlzeiten, Schmausereien.
139. Vgl. Anm. 131, S. 78.

und zerstöre des Teufels Nest zu Rom. Hier sitzt der Mensch, von dem Paulus gesagt hat, der sich wird über dich erheben und in deiner Kirche sitzen, sich stellen wie ein Gott, der Mensch der Sünden und Sohn der Verdammnis[140]. Was ist päpstliche Gewalt anders denn nur Sünde und Bosheit lehren und mehren, nur Seelen zur Verdammnis führen unter deinem Namen und Schein?

Die Kinder von Israel mußten vorzeiten halten den Eid, den sie den Gibeoniten, ihren Feinden, unbewußt und betrogen geleistet hatten[141]. Und der König Zedekia mußte jämmerlich mit allem Volk verloren werden, darum, daß er dem König zu Babylonien seinen Eid brach[142]. Und bei uns vor hundert Jahren ward der feine König zu Polen und Ungarn, Ladislaus[143], leider mit so viel feinem Volk erschlagen vom Türken, darum daß durch einen päpstlichen Botschafter und Kardinal[144] er sich verführen ließ und den seligen, nützlichen Vertrag und Eid, mit den Türken gemacht, zerriß. Der fromme Kaiser Sigismund hatte kein Glück mehr nach dem Konzilium Constantiense, darin er brechen ließ die Buben das Geleit, das Johann Huß und Hieronymus gegeben war, und ist aller Jammer zwischen Böhmen und uns draus erfolget[145]. Und zu unsern Zeiten, hilf Gott, was ist an christlichem Blut vergossen über dem Eid und Bund, den der Papst Julius zwischen dem Kaiser Maximilian und König Ludwig von Frankreich machte und wie-

140. II. Thess. 2, 3 f.   141. Jos. 9, 19 f.
142. II. Kön. 24, 20; 25, 4 ff.
143. Wladislaw III., 1444 bei Varna gefallen.
144. Julian Cesarini, gest. 1444 nach der Schlacht von Varna, zugleich ein Vertreter päpstlicher Ansprüche gegen die Böhmen und auf dem Basler Konzil.
145. Der zur Verhandlung über seine Lehrmeinungen auf das Konstanzer Konzil (1414-18) geladene Joh. Huß war dort unter Bruch des ihm durch Sigmund (1410-37) zugesicherten königlichen Geleites 1415 verbrannt worden, ein Jahr später sein Anhänger Hieronymus von Prag.

der zerriß[146]. Wie könnte ich alles erzählen, was die Päpste an Jammer haben angerichtet mit solcher teuflischen Vermessenheit, Eid und Gelübde zwischen großen Herren zu zerreißen, woraus allem sie einen Schimpf machen und Geld dazu nehmen. Ich hoff, der jüngste Tag sei vor der Tür, es kann und mag niemals ärger werden, als es der Römische Stuhl treibt. Gottes Gebot drückt er unter, sein Gebot erhebt er drüber; ist das nicht der Antichrist, so sag ein anderer, wer er sein könne. Doch davon ein andermal mehr und besser.

Zum vierundzwanzigsten: Es ist hohe Zeit, daß wir auch einmal ernstlich und mit Wahrheit der Böhmen Sache vornehmen, sie mit uns und uns mit ihnen zu vereinigen, daß einmal aufhören die greulichen Lästerungen, Haß und Neid auf beiden Seiten. Ich will meiner Torheit entsprechend als der erste mein Gutdünken vorlegen, mit Vorbehalt besseren Verständnisses bei einem jeglichen.

Zum ersten müssen wir wahrlich die Wahrheit bekennen und unser Selbstrechtfertigen lassen, den Böhmen etwas zugeben, nämlich, daß Johannes Huß und Hieronymus von Prag zu Konstanz wider päpstliches, christliches, kaiserliches Geleit und Eid verbrannt worden sind, womit wider Gottes Gebot gehandelt wurde und die Böhmen große Ursache zur Bitterkeit haben; und wiewohl sie sollten vollkommen gewesen sein und solches schweres Unrecht und Ungehorsam gegen Gott von den Unseren gelitten haben, so sind sie doch nicht schuldig gewesen, solches zu billigen und als recht getan zu bekennen. Ja, sie sollten noch heutigen Tages darüber lassen Leib und Leben, ehe sie bekennen sollten, daß es Recht sei, kaiserliches, päpstliches, christliches Geleit zu brechen, treulos dawider zu handeln. Darum, wiewohl es der Böhmen Ungeduld ist, so ist's doch mehr

146. Gemeint die gegen Venedig gerichtete sog. Liga von Cambrai 1508. Vgl. Anm. 8, S. 12.

des Papstes und der Seinen Schuld all der Jammer, all der Irrtum und der Seelen Verderben, die seit demselben Konzilium erfolgt sind.

Ich will hier über Johannes Huß' Artikel nicht urteilen noch seinen Irrtum verfechten, wiewohl mein Verstand noch nichts Irriges bei ihm gefunden hat und ich es fröhlich glauben kann, daß die, die nichts Gutes gerichtet noch redlich verdammt haben, die durch ihren treulosen Handel christlich Geleit und Gottes Gebot übertreten haben, ohne Zweifel mehr vom bösen Geist denn vom heiligen Geist besessen gewesen sind. Es wird niemand daran zweifeln, daß der heilige Geist nicht wider Gottes Gebot handelt; ebenso ist niemand so unwissend, daß Geleit und Treue brechen wider Gottes Gebot ist, ob sie gleich dem Teufel selbst, geschweige denn einem Ketzer wären zugesagt. Ebenso ist auch offenbar, daß Johannes Huß und den Böhmen solch Geleit ist zugesagt worden und nicht nur nicht gehalten, sondern er darüber hinaus verbrannt worden ist. Ich will auch Johannes Huß nicht zu einem Heiligen noch Märtyrer machen, wie etliche Böhmen tun, ob ich gleich bekenne, daß ihm Unrecht geschehen und sein Buch und Lehr zu Unrecht verdammt sind; denn Gottes Gerichte sind heimlich und schrecklich, die niemand denn er selbst allein offenbaren und ausdrücken soll. Das will ich nur sagen: er sei ein Ketzer, wie böse er immer sein mag, so hat man ihn doch mit Unrecht und wider Gott verbrannt, und soll die Böhmen nicht drängen, solches zu billigen; oder wir kommen sonst nimmermehr zur Einigkeit. Es muß uns die offenbare Wahrheit eins machen und nicht die Eigensinnigkeit. Es hilft nichts, daß sie damals haben vorgewendet, daß einem Ketzer sei nicht zu halten das Geleit; das ist ebensoviel gesagt, wie, man solle Gottes Gebot nicht halten, auf daß man Gottes Gebot halte. Es hat sie der Teufel toll und töricht gemacht, daß sie nicht haben gesehen, was sie geredet oder getan haben. Geleit halten hat Gott geboten; das sollte man halten, ob gleich die Welt sollte untergehn, geschweige denn, einen Ketzer loszuwerden. Ebenso sollte man die Ketzer mit Schriften, nicht mit Feuer überwinden, wie die alten Väter getan haben. Wenn es eine Kunst wäre, mit Feuer Ketzer zu überwinden, wären die Henker die gelehrtesten Doktoren auf Erden, brauchten wir auch nicht mehr zu studieren, sondern, welcher den anderen mit Gewalt überwindet, könnte ihn verbrennen.

Zum andern, daß Kaiser und Fürsten hineinschickten etliche fromme, verständige Bischöfe und Gelehrte, beileibe keinen Kardinal noch päpstlichen Botschafter, noch Ketzermeister, denn *das* Volk ist mehr denn zu viel ungelehrt in christlichen Sachen und suchen auch nicht der Seelen Heil, sondern wie des Papstes Heuchler alle tun, ihre eigene Gewalt, Nutz und Ehre. Sie sind auch die Häupter gewesen dieses Jammers zu Konstanz. Diese Gesandten sollten erkunden bei den Böhmen, wie es um ihren Glauben stehe, ob es möglich wäre, alle ihre Sekten in eine zu bringen. Hier soll sich der Papst um der Seelen willen eine Zeitlang seiner Obrigkeit entäußern und nach dem Statut des allerchristlichsten Konziliums Nizänum den Böhmen zulassen, einen Erzbischof in Prag aus sich selbst zu erwählen, welchen bestätigte der Bischof zu Olmütz in Mähren oder der Bischof zu Gran in Ungarn oder der Bischof von Gnesen in Polen oder der Bischof zu Magdeburg im Deutschen. Es ist genug, wenn er von diesem einen oder zweien bestätigt wird, wie zu den Zeiten Sankt Cyprians[147] geschah. Und der Papst hat der keines zu wehren, wehret er es aber, so tut er es als ein Wolf und Tyrann und soll ihm niemand folgen und seinen Bann mit einem Widerbann zurücktreiben.

Doch wenn man Sankt Peters Stuhl zu Ehren will solches tun mit Wissen des Papstes, so laß ich's geschehen,

147. S. Anm. 22, S. 15.

sofern die Böhmen nicht einen Heller drum geben und sie der Papst nicht ein Haarbreit verpflichte, unterwerfe mit Eiden und Bindung an seine Tyrannei, wie er allen andern Bischöfen wider Gott und Recht tut; will er nicht lassen sich genügen an der Ehre, daß sein Gewissen drum gefragt wird, so laß man ihn mit seinen Eiden, Rechten, Gesetzen und Tyranneien ein gut Jahr haben[148] und laß es genug sein an der Wahl und das Blut aller Seelen, die in Gefahr bleiben, über seinen Hals schreien; denn niemand soll in Unrecht willigen und es ist genugsam der Tyrannei Ehre erwiesen worden. Wenn es denn nicht anders sein kann, so kann dennoch gut des gemeinen Volkes Wahl und Einwilligung einer tyrannischen Bestätigung gleich gelten. Doch hoff ich, es soll nicht not haben. Es werden jedenfalls schließlich etliche Römer oder fromme Bischöfe und Gelehrte die päpstliche Tyrannei merken und wehren.

Ich will auch nicht raten, daß man sie zwinge, beiderlei Gestalt des Sakraments[149] abzutun, dieweil dasselbe nicht unchristlich noch ketzerisch ist, sondern man lasse sie bleiben, wenn sie wollen, in derselben Weise; doch daß der neue Bischof darauf sehe, daß nicht Uneinigkeit um solche Weise sich erhebe, sondern sie gütlich unterweise, daß keines ein Irrtum sei, gleichwie es nicht Zwietracht machen soll, daß die Priester anderweit sich kleiden und gebärden denn die Laien. Desselbengleichen, wenn sie nicht wollen römische geistliche Gesetze aufnehmen, soll man sie auch nicht drängen, sondern zum ersten wahrnehmen, daß sie im Glauben und göttlicher Schrift recht wandeln; denn christlicher Glaube und Stand kann wohl bestehen ohne des Papstes unerträgliche Gesetze. Ja, er kann nicht gut bestehen, es seien denn der römischen Gesetze weniger oder keine; wir

148. D. h., man überlasse ihn sich selbst.
149. D. h. die Spendung von Brot *und* Wein beim Hl. Abendmahl.

sind in der Taufe frei geworden und allein göttlichen Worten untertan; warum soll uns ein Mensch in seinen Worten gefangennehmen? Wie Sankt Paulus sagt: „Ihr seid frei geworden, werdet niemals Knechte der Menschen[150]", das ist derer, die mit Menschengesetzen regieren.

Wenn ich wüßte, daß die Pikarden[151] keinen anderen Irrtum hätten im Sakrament des Altares, denn daß sie glaubten, es sei wahrhaftig Brot und Wein natürlicherweise da, doch drunter wahrhaftig Fleisch und Blut Christi, wollt ich sie nicht verwerfen, sondern unter den Bischof zu Prag lassen kommen. Denn es ist kein Artikel des Glaubens, daß Brot und Wein nicht wesentlich und natürlich sei im Sakrament, welches eine Meinung ist Sancti Thomae[152] und des Papstes, sondern das ist ein Artikel des Glaubens, daß in dem natürlichen Brot und Wein wahrhaftig natürlich Fleisch und Blut Christi sei; so sollte man dulden beider Seiten Meinung, bis daß sie einig würden, dieweil keine Gefahr darin liegt, ob du glaubst, daß Brot da sei oder nicht. Denn wir müssen vielerlei Weise und Orden dulden, die ohne Schaden des Glaubens bestehen. Wenn sie aber anders glauben, wollte ich sie lieber draußen wissen, doch sie unterweisen in der Wahrheit.

Was mehr an Irrtum und Zwiespältigkeit in Böhmen gefunden wird, sollte man dulden, bis der Erzbischof, wieder eingesessen, mit der Zeit den Haufen wieder zusammenbrächte in einträchtiger Lehre. Es will fürwahr nicht mit Gewalt noch mit Trotzen, noch mit Eilen wieder zusammengebracht werden. Es muß Weile und Sanftmütigkeit hier sein. Mußte doch Christus so lang mit sei-

---

150. I. Kor. 7, 23.
151. = Begharden; ursprünglich Name einer zur Ketzerei neigenden religiösen Laienbewegung, der dann auf die „böhmischen Brüder", d. h. Hussiten, übertragen wurde.
152. Bis heute einflußreichster Theologe der Hochscholastik, gest. 1274.

nen Jüngern umgehn und ihren Unglauben tragen, bis sie glaubten seiner Auferstehung. Wäre nur wieder ein ordnungsgemäßer Bischof und Regiment drinnen, ohne römische Tyrannei, ich hoffte, es sollte alsbald besser werden.

Die zeitlichen Güter, die der Kirche gewesen sind, sollten nicht aufs strengste zurückgefordert werden, sondern dieweil wir Christen sind und ein jeglicher schuldig ist, dem anderen zu helfen, haben wir wohl die Vollmacht, um der Einigkeit willen ihnen dieselben zu geben und zu lassen, vor Gott und der Welt. Denn Christus sagt: „Wo zwei miteinander eines sind, da bin ich in ihrer Mitte[153]." Wollte Gott, wir täten auf beiden Seiten dazu und es reichte mit brüderlicher Demut einer dem andern die Hand und versteiften uns nicht auf unsere Gewalt oder Recht; die Liebe ist mehr und nötiger denn das Papsttum zu Rom, welches ohne Liebe sein kann und Liebe ohne Papsttum. Ich will hiermit das meine dazu getan haben; hindert es der Papst oder die Seinen, sie werden Rechenschaft drum geben, daß sie wider die Liebe Gottes mehr das Ihre denn das, was ihres Nächsten ist, gesucht haben. Es sollte der Papst sein Papsttum, alle seine Güter und Ehre verlieren, wenn er eine Seele damit könnte erretten. Nun ließe er eher die Welt untergehen, ehe er ein Haarbreit seiner angemaßten Gewalt ließe abbrechen, und will dennoch der Heiligste sein. Hiermit bin ich entschuldigt.

Zum fünfundzwanzigsten. Die Universitäten bedürften auch wohl einer guten starken Reformation. Ich muß es sagen, es verdrieße, wen es will. Ist doch alles, was das Papsttum hat eingesetzt und angeordnet, nur darauf gerichtet, Sünde und Irrtum zu mehren. Was sind die Universitäten, wenn sie nicht anders denn bisher geordnet werden, anderes als, wie das Buch der

153. Matth. 18, 20.

Makkabäer sagt, gymnasia ephebórum et graecae glóriae[154], darinnen ein frei Leben geführt, wenig der Heiligen Schrift und christlicher Glaube gelehret wird und allein der blinde, heidnische Meister Aristoteles regiert, sogar weiter denn Christus? Hier wäre nun mein Rat, daß die Bücher des Aristoteles, „Physik", „Metaphysik", „de anima", „Ethik", welche bisher für die besten wurden gehalten, ganz würden abgetan mit allen andern, die von natürlichen Dingen sich rühmen; obgleich man doch nichts drin lernen kann, weder von natürlichen noch geistlichen Dingen, dazu seine Meinung niemand bisher verstanden hat, und mit unnützer Arbeit, Studieren, Kosten soviel edle Zeit und Seelen umsonst beladen gewesen sind. Ich wage zu sagen, daß ein Töpfer mehr von natürlichen Dingen versteht, denn in diesen Büchern steht. Es tut mir wehe in meinem Herzen, daß der verdammte, hochmütige, arglistige Heide mit seinen falschen Worten so viel der besten Christen verführet und genarret hat. Gott hat uns so mit ihm geplagt um unsrer Sünde willen. Lehret doch der elende Mensch in seinem besten Buch „de anima", daß die Seele sterblich sei mit dem Körper, wiewohl viele mit vergeblichen Worten ihn haben wollen erretten, als hätten wir nicht die Heilige Schrift, darin wir überreichlich in allen Dingen belehrt werden, deren Aristoteles nicht einen kleinsten Geruch je empfunden hat; dennoch hat der tote Heide überwunden und des lebendigen Gottes Bücher behindert und ganz unterdrückt, so daß, wenn ich solchen Jammer bedenke, ich nicht anders erachten kann, denn der böse Geist habe das Studieren hereingebracht. Desselbengleichen das Buch der Ethik ärger denn kein Buch stracks der Gnade Gottes und christlichen Tugend entgegen ist, das doch auch als der besten eines wird gerechnet. Oh, nur weit fort mit solchen Büchern von allen Christen! Es braucht

154. II. Makk. 4, 9. 12. Übungsstätten der Jünglinge und griechischen Ruhmes.

mir niemand vorzuwerfen, ich rede zuviel oder verwerfe, was ich nicht kenne. Lieber Freund, ich weiß wohl, was ich rede. Aristoteles ist mir so gut bekannt wie dir und deinesgleichen; ich habe ihn auch gelesen und gehöret mit mehr Verständnis als Sankt Thomas oder Scotus[155] es taten, dessen ich mich ohne Hoffart rühmen und was ich, wo es nötig ist, wohl beweisen kann. Es macht mir keinen Eindruck, daß so viel hundert Jahre lang so viel hoher Verstand sich drin abgemüht hat. Solche Einreden fechten mich nicht mehr an, wie sie wohl etwa getan haben, sintemal es am Tage ist, daß wohl mehr Irrtümer mehrere hundert Jahr in der Welt und den Universitäten geblieben sind.

Das will ich gern dulden, daß Aristoteles' Bücher von der Logik, Rhetorik, Poetik behalten oder sie in eine andere kurze Form gebracht mit Nutzen gelesen würden, junge Leute zu üben, gut zu reden und zu predigen; aber die Kommentare und Schulmeinungen müßten abgetan und gleich wie Ciceros Rhetorik ohne Kommentar und Schulmeinung, so auch Aristoteles' Logik einfach, ohne solch großen Kommentar gelesen werden. Aber jetzt lernt man weder reden noch predigen draus und ist gänzlich eine Disputation und Quälerei draus geworden. Daneben hätte man nun die Sprachen Lateinisch, Griechisch und Hebräisch, die mathematischen Disziplinen, Historien, welches ich befehle Verständigeren und sich selbst wohl ergeben wird, wenn man mit Ernst nach einer Reformation trachtet; und fürwahr, viel ist dran gelegen; denn hier soll die christliche Jugend und unser edelstes Volk, in dem die Christenheit bleibt, gelehrt und bereitet werden. Darum acht ich, daß kein päpstlicheres noch kaiserlicheres Werk könnte geschehen denn eine gute Reformation der Universitäten, wiederum kein teuflischeres, ärgeres Wesen denn unreformierte Universitäten.

155. Duns Scotus, franziskanischer Scholastiker, gest. 1308.

Die Ärzte laß ich ihre Fakultäten selbst reformieren, die Juristen und Theologen nehm ich für mich und sag zum ersten, daß es gut wäre, das geistliche Recht würde von dem ersten Buchstaben bis an den letzten gründlich ausgetilgt, sonderlich die Dekretalen. Es ist uns übrig genug in der Bibel geschrieben, wie wir uns in allen Dingen verhalten sollen; dazu hindert solches Studieren nur die Heilige Schrift; auch das größere Teil riecht nach lauter Geiz und Hoffart; und wenn schon viel Gutes drinnen wäre, sollte es dennoch mit Recht untergehen, darum, daß der Papst alle geistlichen Rechte in seines Herzens Kasten gefangen hat, so daß hinfort lauter unnütz Studieren und Betrug drinnen ist. Heut ist geistlich Recht nicht, was in den Büchern, sondern was in des Papstes und seiner Schmeichler Mutwillen steht. Hast du eine Sache im geistlichen Recht begründet aufs allerbeste, so hat der Papst drüber scrínium péctoris[156], danach muß sich lenken alles Recht und die ganze Welt. Nun regiert dasselbe scrinium vielmals ein Bube und der Teufel selbst und lässet sich preisen, der Heilige Geist regiere es. So geht man um mit dem armen Volk Christi, setzt ihm viel Recht und hält keines, zwingt andere zu halten oder mit Geld zu lösen.

Dieweil denn der Papst und die Seinen selbst das ganze geistliche Recht aufgehoben haben und nicht achten und sich nur nach ihrem eigenen Mutwillen halten über alle Welt, so sollen wir ihnen folgen und die Bücher auch verwerfen. Warum sollten wir vergebens in ihnen studieren? So könnten wir auch nimmermehr des Papstes Mutwillen, welcher nun geistlich Recht geworden ist, auslernen. Ei, so fall es ganz dahin in Gottes Namen, das in's Teufels Namen sich erhoben hat und sei kein

---

156. „Herzensschrein", von Bonifaz VIII. bereits verwendeter Ausdruck dafür, daß der Papst potentiell alle Kirchengesetze in sich trage, also die eigentliche Rechtsquelle sei. Vgl. S. 50 bei Anm. 85.

doctor Decretórum mehr auf Erden, sondern allein
doctóres scrínii papális[157], das sind des Papstes Heuchler. Man sagt, daß kein feiner weltlich Regiment irgendwo sei denn bei dem Türken, der doch weder geistlich
noch weltlich Recht hat, sondern allein seinen Alkoran;
ebenso müssen wir bekennen, daß kein schändlicher Regiment ist denn bei uns durch geistliches und weltliches
Recht, so daß kein Stand mehr geht natürlicher Vernunft
gemäß, geschweige der Heiligen Schrift.

Das weltliche Recht, hilf Gott, wie ist das auch eine
Wildnis geworden; wiewohl es viel besser, kunstvoller,
redlicher ist denn das geistliche, an welchem außer dem
Namen nichts Gutes ist, so ist sein doch auch vielzuviel
geworden. Fürwahr, vernünftige Regenten neben der Heiligen Schrift wären wirklich übergenug da, wie Sankt
Paul I. Kor. 6 (1) sagt: „Ist niemand unter euch, der da
könnte seines Nächsten Sache richten, daß ihr vor heidnischen Gerichten müsset hadern?" Es dünkt mich angemessen, daß Landrecht und Landsitten den kaiserlichen,
allgemeinen Rechten werden vorgezogen und die kaiserlichen nur zur Not gebraucht werden. Und wollte Gott,
daß, wie ein jegliches Land seine eigene Art und Gaben
hat, es so auch mit eigenen kurzgefaßten Rechten regiert
würde, wie sie regiert worden sind, ehe solche Recht
sind erfunden worden, und noch werden ohne sie viele
Länder regiert. Die weitläufigen und fern her gesuchten
Rechte sind nur Beschwerung der Leute und mehr Hindernis denn Förderung der Sachen. Doch ich hoffe, es
sei diese Sache schon von anderen besser bedacht und
angesehen, denn ich's kann anbringen.

Meine lieben Theologen haben sich aus der Mühe und
Arbeit gesetzt, lassen die Bibel gut ruhen und lesen die
Sentenzen[158]. Ich meine, die Sentenzen sollten der An

157. Doktoren des päpstlichen Herzensschreines.
158. D. h. die Kommentare zu den „Vier Büchern der Sentenzen" des Petrus Lombardus, eines Kompendiums der christ

fang sein der jungen Theologen und die Bibel den Doktoren bleiben; gleichwohl ist's umgekehrt, die Bibel ist das erste, die fähret mit dem Bakkalaureat dahin und die Sentenzen sind das letzte, die bleiben mit dem Doktorat ewiglich, dazu mit solcher heiligen Verpflichtung, daß die Bibel kann wohl lesen, wer nicht Priester ist, aber die Sentenzen muß ein Priester lesen; es könnte wohl ein ehelicher Mann Doktor sein in der Bibel, wie ich sehe, aber keineswegs in den Sentenzen. Was soll uns an Glück widerfahren, wenn wir so verkehrt handeln und die Bibel, das heilige Wort Gottes, so hintansetzen? Dazu gebeut der Papst mit vielen strengen Worten, seine Gesetze in den Schulen und Gerichten zu lesen und zu brauchen. Aber des Evangeliums wird wenig gedacht; ebenso tut man auch, daß das Evangelium in Schulen und Gerichten wohl müßig unter der Bank im Staub liegt, auf daß des Papstes schädliche Gesetze nur allein regieren können.

Wenn wir denn haben den Namen und Titel, daß wir Lehrer der Heiligen Schrift heißen, sollten wir wahrlich gezwungen sein, dem Namen entsprechend die heiligen Schriften und keine anderen zu lehren, wiewohl auch der hochmütige, aufgeblasene Titel zuviel ist, daß ein Mensch soll sich rühmen und krönen lassen als ein Lehrer der Heiligen Schrift. Doch wäre es zu dulden, wenn das Werk den Namen bestätigte. Nun aber, da die Sentenzen allein herrschen, findet man mehr heidnischen und menschlichen Dünkel denn heilige, gewisse Lehre der Schrift in den Theologen. Was wollen wir da nun tun? Ich weiß hier keinen anderen Rat denn ein demütig Gebet zu Gott, daß uns derselbe Doctores theologiae gebe; Doctores der Kunst, der Arznei, der Rechte, der Sentenzen können der Papst, Kaiser und Universitäten machen, aber sei nur gewiß, einen Doktor der Heiligen

lichen Lehre, dessen Hauptmasse aus Sentenzen der Kirchenväter besteht.

Schrift wird dir niemand machen, denn allein der Heilige Geist vom Himmel, wie Christus sagt Joh. 6 (45): „Sie müssen alle von Gott selber gelehret sein." Nun fragt der Heilige Geist nicht nach roten, braunen Baretten oder was dergleichen Prangens ist, auch nicht, ob einer jung oder alt, Lai oder Pfaff, Mönch oder weltlich, jungfräulich oder ehelich sei, ja, er redete vorzeiten durch ein Eselein wider den Propheten, der drauf reitet[159]. Wollt' Gott, wir wären seiner würdig, daß uns solche Doctores gegeben würden, sie wären nun Laien oder Priester, ehelich oder jungfräulich; wiewohl man nun den Heiligen Geist zwängen will in den Papst, Bischof und Doctores, obgleich doch kein Zeichen noch Schein ist, daß er bei ihnen sei.

Die Bücher müßte man auch vermindern und erlesen die besten; denn viele Bücher machen nicht gelehrt, viel lesen auch nicht, sondern gut Ding und oft lesen, wie wenig es sein mag, das macht gelehrt in der Schrift und fromm dazu. Ja, es sollten aller heiligen Väter Schriften nur eine Zeitlang gelesen werden, dadurch in die Schrift zu kommen; so aber lesen wir sie nur, daß wir darinnen bleiben und nimmer in die Schrift kommen, damit wir gleich denen seien, die die Wegezeichen sehen und wandeln den Weg dennoch nimmer. Die lieben Väter haben uns wollen in die Schrift führen mit ihrem Schreiben, so aber führen wir uns damit heraus, obgleich doch allein die Schrift unser Weingarten ist, darinnen wir alle sollten uns üben und arbeiten.

Vor allen Dingen sollte in den hohen und niederen Schulen die vornehmste und allgemeinste Lektion sein die Heilige Schrift und den jungen Knaben das Evangelium. Und wollte Gott, eine jegliche Stadt hätte auch eine Mädchenschule, darinnen täglich die Mägdlein eine Stunde das Evangelium hörten, es wäre deutsch oder lateinisch. Fürwahr, die Schulen, Manns- und Frauen-

159. S. Anm. 35, S. 23.

klöster sind vorzeiten dazu angefangen, ganz aus löblicher christlicher Absicht, wie wir lesen von Sankt Agnes[160] und mehr Heiligen; da wurden heilige Jungfrauen und Märtyrer und es stand recht gut in der Christenheit. Aber nun ist nicht mehr denn beten und singen draus geworden. Sollte nicht billig ein jeglicher Christenmensch bei seinen neun oder zehn Jahren wissen das ganze heilige Evangelium, da sein Namen und Leben drin steht? Lehret doch eine Spinnerin und Näherin ihre Tochter dasselbe Handwerk in jungen Jahren. Aber nun wissen das Evangelium auch die großen, gelehrten Prälaten und Bischöfe selbst nicht.

O wie unangemessen verfahren wir mit dem armen, jungen Haufen, der uns anbefohlen ist, ihn zu regieren und zu unterweisen, und schwere Rechnung muß dafür gegeben werden, daß wir ihnen das Wort Gottes nicht vorlegen. Es geschieht ihnen wie Jeremia sagt Klagel. 2 (11 ff.): „Meine Augen sind vor Weinen müde geworden, mein Eingeweide ist erschrocken, meine Leber ist ausgeschüttet auf die Erde um des Verderbens willen der Tochter meines Volkes, da die Jungen und Kindlein verderben auf allen Gassen der ganzen Stadt. Sie sprachen zu ihren Müttern: Wo ist Brot und Wein? und verschmachteten wie die Verwundeten auf der Straßen und Stadt und gaben den Geist auf im Schoß ihrer Mutter." Diesen elenden Jammer sehen wir nicht, wie jetzt auch das junge Volk mitten in der Christenheit verschmachtet und erbärmlich verdirbt, weil es ihnen am Evangelium gebricht, das man mit ihnen immer treiben und üben sollte.

Wir sollten auch, wenn die hohen Schulen fleißig wären in der Heiligen Schrift, nicht dahin schicken jedermann, wie jetzt geschieht, da man nur fragt nach der Menge und ein jeder will einen Doktor haben, sondern allein die allergeschicktesten, in den kleinen Schulen vorher gut

160. S. Anm. 106, S. 62.

erzogen. Darauf ein Fürst oder Rat einer Stadt sollte acht haben und nicht zulassen zu senden denn recht geschickte; wo aber die Heilige Schrift nicht regiert, da rat ich fürwahr niemand, daß er sein Kind hintue. Es muß verderben alles, was nicht Gottes Wort ohne Unterlaß treibt; drum sehen wir auch, was für Volk wird und ist in den hohen Schulen; es ist niemandes Schuld denn des Papstes, der Bischöfe und Prälaten, denen solcher Nutzen des jungen Volkes befohlen ist. Denn die hohen Schulen sollten erziehen lauter hochverständige Leute in der Schrift, die da könnten Bischöfe und Pfarrer werden, an der Spitze stehen wider die Ketzer und Teufel und alle Welt. Aber wo findet man das? Ich habe große Sorge, die hohen Schulen seien große Pforten der Hölle, wenn sie nicht emsiglich die Heilige Schrift üben und treiben ims junge Volk.

Zum sechsundzwanzigsten. Ich weiß wohl[161], daß der römische Haufe wird vorwenden und hoch aufblasen, wie der Papst habe das Heilige Römische Reich von dem griechischen Kaiser genommen und an die Deutschen bracht, für welche Ehre und Wohltat er billig Untertänigkeit, Dank und alles Gute an den Deutschen verdient und erlangt haben soll. Derhalben sie vielleicht allerlei Versuche, sie zu reformieren, sich unterwinden werden in den Wind zu schlagen und nichts lassen beachten als solche Begabungen mit dem Römischen Reich. Aus diesem Grund haben sie bisher manchen teuren Kaiser so mutwillig und übermütig verfolgt und bedrückt, daß es ein Jammer ist zu sagen, und mit derselben Arglist sich selbst zu Oberherren gemacht aller weltlichen Gewalt und Obrigkeit wider das heilige Evangelium, darum ich auch davon reden muß.

Es ist ohne Zweifel, daß das rechte Römische Reich, davon die Schrift der Propheten IV. Mose 24 (24) und

161. Bis S. 103 „regieren in allen Dingen" Zusatz der 2. Auflage.

Daniel verkündet haben, längst verstört und ein Ende hat, wie Bileam IV. Mose 24 klar verkündet hat, da er sprach: „Es werden die Römer kommen und die Juden verstören, und danach werden sie auch untergehen", und das ist geschehen durch die Goten, sonderlich aber, daß des Türken Reich ist angegangen bei tausend Jahren und ist so mit der Zeit abgefallen Asia und Afrika, danach Francia, Hispania, zuletzt Venedig aufgekommen und nichts mehr zu Rom geblieben von der vorigen Gewalt.

Da nun der Papst die Griechen und den Kaiser zu Konstantinopel, der erblicher römischer Kaiser war, nicht konnte nach seinem Mutwillen zwingen, hat er ein solches Fündlein erdacht, ihn desselben Reiches und Namens zu berauben und den Deutschen, die zu der Zeit streitbar und guten Rufes reich waren, zuzuwenden, damit sie des Römischen Reiches Gewalt unter sich brächten und es von ihren Händen zu Lehen ginge. Und ist auch so geschehen: dem Kaiser zu Konstantinopel ist's genommen und uns Deutschen der Namen und Titel desselben zugeschrieben, sind damit des Papstes Knechte geworden; und es ist nun ein andres Römisches Reich, das der Papst hat auf die Deutschen gebauet; denn jenes, das erste, ist längst, wie gesagt, untergegangen.

So hat nun der Römische Stuhl seinen Mutwillen, Rom eingenommen, den deutschen Kaiser herausgetrieben und mit Eiden verpflichtet, nicht in Rom zu wohnen. Soll Römischer Kaiser sein und dennoch Rom nicht innehaben, dazu allezeit in des Papstes und der Seinen Mutwillen hängen und weben, so daß wir den Namen haben und sie das Land und Städte, denn sie haben allzeit unsere Einfältigkeit mißbraucht zu ihrem Übermut und Tyrannei und heißen uns tolle Deutsche, die sich äffen und narren lassen, wie sie wollen.

Nun wohlan, Gott dem Herrn ist's ein klein Ding, Reich und Fürstentum hin und her zu werfen; er ist so freigebig mit denselben, daß er zuweilen einem bösen Buben ein Königreich gibt und nimmt's einem Frommen, zuweilen durch Verräterei böser, untreuer Menschen, zuweilen durch Erben, wie wir das lesen in dem Königreich Perserland, Griechenland und fast allen Reichen und Daniel 2 (21) und 4 (14) sagt: „Er wohnt im Himmel, der über alle Dinge herrschet, und er allein ist es, der die Königreiche versetzt, hin und her wirft und macht." Darum, wie niemand kann das für groß achten, daß ihm ein Reich wird zuteil, sonderlich, wenn er ein Christ ist, so können wir Deutschen auch nicht hoch fahren, daß uns ein neu Römisch Reich ist zugewendet; denn es ist vor seinen Augen eine geringe Gabe, die er den alleruntüchtigsten mehrmals gibt, wie Daniel 4 (32) sagt: „Alle, die auf Erden wohnen, sind vor seinen Augen wie etwas, das nichts ist, und er hat Gewalt in allen Reichen der Menschen, sie zu geben, welchem er will."

Wiewohl nun der Papst mit Gewalt und Unrecht das Römische Reich oder des Römischen Reiches Namen hat dem rechten Kaiser geraubt und uns Deutschen zugewendet, so ist's doch gewiß, daß Gott die Papstbosheit hierin hat gebraucht, deutscher Nation ein solch Reich zu geben und nach dem Fall des ersten Römischen Reiches ein anderes, das jetzt steht, aufzurichten. Und wiewohl wir der Päpste Bosheit hierin keine Veranlassung gegeben haben, außerdem ihre falschen Versuche und Absichten verstanden, haben wir doch durch päpstliche Tücke und Schalkheit mit unzähligem Blutvergießen, mit Unterdrückung unserer Freiheit, mit Zusetzen und Raub aller unserer Güter, sonderlich der Kirchen und Pfründen, mit Dulden unsäglicher Trügerei und Schmach solch Reich leider allzu teuer bezahlt. Wir haben des Reiches Namen, aber der Papst hat unser Gut, Ehre, Leib, Leben, Seele und alles, was wir haben. So soll man die Deutschen täuschen und mit Tauschen täuschen: das haben die Päpste gesucht, daß sie gerne Kaiser wären gewesen, und da sie das nicht haben können einrichten, haben sie sich doch über die Kaiser gesetzt.

Dieweil denn durch Gottes Geschick und böser Menschen Versuch ohne unsere Schuld das Reich uns gegeben ist, will ich nicht raten, dasselbe fahren zu lassen, sondern in Gottesfurcht, so lange es ihm gefällt, es redlich regieren. Denn, wie gesagt, es liegt ihm nichts daran, wo ein Reich herkommt, er will's dennoch regiert haben. Haben's die Päpste unredlich andern genommen, so haben wir's doch nicht unredlich gewonnen. Es ist uns durch böswillige Menschen aus Gottes Willen gegeben; denselben wir mehr ansehen denn der Päpste falsche Meinung, die sie darinnen gehabt, selbst Kaiser und mehr denn Kaiser zu sein, und uns nur mit dem Namen äffen und spotten. Der König zu Babylonien hatte sein Reich auch mit Rauben und Gewalt genommen; dennoch wollte Gott dasselbe regiert haben durch die heiligen Fürsten Daniel, Anania, Asaria, Misael[162]: viel mehr will er von den christlichen deutschen Fürsten dieses Reich regiert haben, es habe es der Papst gestohlen oder geraubt oder von neuem gemacht. Es ist alles Gottes Ordnung, welche eher ist geschehen, denn wir drum haben gewußt.

Derhalben kann sich der Papst und die Seinen nicht rühmen, daß sie der deutschen Nation viel zugut getan mit Verleihen dieses Römischen Reiches: zum ersten darum, daß sie nichts Gutes uns darinnen gegönnt haben, sondern haben unsre Einfältigkeit darin mißbraucht, ihren Übermut wider den rechten Römischen Kaiser zu Konstantinopel zu stärken, dem der Papst solches genommen hat wider Gott und Recht, wozu er keine Gewalt hatte. Zum andern, daß der Papst dadurch nicht uns, sondern sich selbst das Kaisertum zuzueignen gesucht hat, sich zu unterwerfen alle unsre Gewalt, Freiheit, Gut, Leib und Seele und durch uns (wo es Gott

162. Dan. 1, 19.

nicht hätte gewehrt) alle Welt, wie das klärlich in seinen Dekretalen er selbst erzählt und mit manchen bösen Tücken an vielen deutschen Kaisern versucht hat. So sind wir Deutschen hübsch deutsch gelehrt: da wir vermeinten, Herren zu werden, sind wir der allerlistigsten Tyrannen Knechte geworden, haben den Namen, Titel und Wappen des Kaisertums, aber den Schatz, Gewalt, Recht und Freiheit desselben hat der Papst. Der Papst frißt den Kern, und wir spielen mit den leeren Schalen.

So helf uns Gott, der solch Reich (wie gesagt) uns durch listige Tyrannen hat zugeworfen und zu regieren befohlen, daß wir auch dem Namen, Titel und Wappen Folge tun und unsere Freiheit erretten, die Römer einmal sehen lassen, was wir durch sie von Gott empfangen haben. Rühmen sie sich, sie haben uns ein Kaisertum zugewendet, wohlan, so sei es also, laß es wahr sein; so gebe der Papst Rom her und alles, was er hat vom Kaisertum, lasse unser Land frei von seinem unerträglichen Schatzen und Schinden, gebe zurück unsre Freiheit, Gewalt, Gut, Ehre, Leib und Seele und laß es ein Kaisertum sein, wie einem Kaisertum gebührt, auf daß seinen Worten und Vorgeben genug geschehe.

Will er aber das nicht tun, was spiegelficht er denn mit seinen falschen, erdichteten Worten und Trugbildern? Ist es nicht genug gewesen, durch soviel hundert Jahre die edle Nation so gröblich mit der Nasen umzuführen ohn alles Aufhören? Darum, daß er ihn krönet und macht, folgt nicht, daß der Papst sollte über den Kaiser sein. Denn der Prophet Sankt Samuel salbte und krönte den König Saul und David[163] aus göttlichem Befehl und war doch ihm untertan. Und der Prophet Nathan salbte den König Salomon[164], war darum nicht über ihn gesetzt. Item Sankt Elisäus ließ seiner Knechte einen salben den König Jehu von Israel[165], dennoch blie-

163. I. Sam. 10, 1 und 16, 13.
164. Vgl. I. Kön. 1, 38 f.   165. II. Kön. 9, 6.

102

ben sie unter ihm gehorsam. Und ist noch nie geschehen in aller Welt, daß der über den König wäre, der ihn weihet oder krönet, denn einzig und allein durch den Papst.

Nun lässet er sich selbst von drei Kardinälen krönen zum Papst, die unter ihm sind, und ist doch nichtsdestoweniger über sie. Warum sollte er wider sein eigen Exempel und aller Welt und Schrift Übung und Lehre sich über weltliche Gewalt oder Kaisertum erheben, allein darum, daß er ihn krönt oder weihet? Es ist genug, daß er über ihn ist in göttlichen Sachen, das ist im Predigen, Lehren und Sakramente reichen, in welchen auch ein jeglicher Bischof und Pfarrer über jedermann ist, gleichwie Sankt Ambrosius in dem Stuhl über den Kaiser Theodosius[166] und der Prophet Nathan über David und Samuel über Saul. Darum laßt den deutschen Kaiser recht und frei Kaiser sein und seine Gewalt noch Schwert nicht niederdrücken durch solch blindes Vorgeben päpstlicher Heuchler, als sollten sie unabhängig über das Schwert regieren in allen Dingen.

Des sei genug gesagt von den geistlichen Gebrechen; man wird und kann ihrer mehr finden, wenn diese würden recht angesehen. Wollen auch der weltlichen einen Teil anzeigen.

Zum ersten wäre hochnot ein allgemeines Gebot und Bewilligung deutscher Nation wider den überschwenglichen Überfluß und Kosten der Kleidung, dadurch soviel Adel und reiches Volk verarmet. Hat doch Gott uns wie anderen Landen genug gegeben Wolle, Haar, Flachs und alles, was zu ziemlicher, ehrlicher Kleidung einem jeglichen Stand redlich dienet; so daß

---

166. Bischof Ambrosius von Mailand veranlaßte 390 den Kaiser Theodosius, für die Ermordung einer großen Menge von Thessalonikern Kirchenbuße zu tun. „In dem Stuhl" = ex cathedra, von seinem Bischofsstuhl aus, d. h. von amtswegen.

wir nicht brauchten so greulichen großen Schatz für Seiden, Sammet, Goldschmuck und was der ausländischen Ware ist, so verschwenderisch zu verschütten. Ich acht, wenn schon der Papst mit seiner unerträglichen Schinderei uns Deutsche nicht beraubte, hätten wir dennoch mehr als zuviel an diesen heimlichen Räubern, den Seiden- und Samtkrämern. Zudem sehen wir, daß dadurch ein jeglicher will den anderen gleich sein und damit Hoffart und Neid unter uns, wie wir verdienen, erregt und gemehrt wird; welches alles und viel mehr Jammer gut unterbleiben würde, wenn der Vorwitz uns ließe an den Gütern, von Gott gegeben, dankbar sich genügen.

Desselbengleichen wäre auch not, zu verringern Spezerei, was auch der großen Schiffe eines ist, darinnen das Geld aus deutschen Landen geführt wird. Es wächst uns wahrlich von Gottes Gnaden mehr Essen und Trinken und so köstlich und gut, als irgendeinem anderen Land. Ich werde hier vielleicht närrische und unmögliche Dinge vortragen, als wollt' ich den größten Handel, die Kaufmannschaft, abschaffen. Aber ich tue das Meine; wird's nicht insgemein gebessert, so bessere für sich selbst, wer es tun will. Ich sehe nicht viel guter Sitten, die je in ein Land gekommen sind durch Kaufmannschaft, und Gott vorzeiten sein Volk von Israel darum von dem Meere entfernt wohnen ließ und nicht viel Kaufmannschaft treiben.

Aber das größte Unglück deutscher Nation ist gewißlich der Zinskauf[167]. Wenn der nicht wäre, müßte mancher seine Seide, Sammet, Goldschmuck, Spezerei und allerlei Prangen wohl ungekauft lassen. Er besteht nicht viel über hundert Jahr und hat schon fast alle Fürsten, Stifte, Städte, Adel und Erben in Armut, Jammer und Verderben gebracht; wird er noch hundert Jahr bestehen, so wäre es nicht möglich, daß Deutschland einen Pfennig behielte, wir müßten uns gewißlich untereinan-

167. Rentenkauf.

der fressen; der Teufel hat ihn erdacht und der Papst
wehe getan aller Welt mit seiner Bestätigung. Darum
bitt ich und ruf hier, sehe ein jeglicher sein eigenes, seiner Kinder und Erben Verderben an, das ihm nicht vor
der Tür, sondern schon im Hause rumort, und es tue dazu Kaiser, Fürsten, Herren und Städte, daß der Kauf
so bald wie möglich werde verdammt und hinfort ver-
wehrt, unangesehen, ob der Papst und all sein Recht
oder Unrecht dawider sei, es seien Lehen oder Stifte darauf gegründet. Es ist besser, ein Lehen in einer Stadt mit
redlichen Erbgütern oder Zinsen gestiftet, denn hundert
auf den Zinskauf. Ja, ein Lehen auf den Zinskauf ärger
und schwerer ist denn zwanzig auf Erbgütern. Fürwahr,
es muß der Zinskauf eine Figur und Anzeige sein, daß
die Welt mit schweren Sünden dem Teufel verkauft
sei, so daß zugleich zeitlich und geistlich Gut uns muß
gebrechen. Dennoch merken wir nichts.

Hier müßte man wahrlich auch den Fuggern und dergleichen Gesellschaften einen Zaum ins Maul legen. Wie
ist es möglich, daß es sollte göttlich und recht zugehen,
daß bei eines Menschen Leben sollten auf einen Haufen
so große königliche Güter gebracht werden? Ich weiß
die Rechnung nicht. Auch das verstehe ich nicht, wie man
mit hundert Gulden kann im Jahre erwerben zwanzig,
ja ein Gulden einen weiteren, und das alles nicht aus
der Erde oder von dem Vieh, wo das Gut nicht in
menschlicher Klugheit, sondern in Gottes Gebenedeiung
steht. Ich befehle das den Weltverständigen. Ich als ein
Theologus habe nicht mehr dran zu tadeln, denn das
böse, ärgerliche Ansehen, von dem Sankt Paulus sagt:
„Hütet euch vor allem bösen Ansehen oder Schein[168]."
Das weiß ich gut, daß es viel göttlicher wäre, Ackerwerk
zu mehren und Kaufmannschaft zu mindern und die viel
besser tun, die der Schrift nach die Erde bearbeiten und
ihre Nahrung draus suchen, wie zu uns und allen ge-

168. I. Thess. 5, 22.

sagt ist in Adam: „Vermaledeit sei die Erde, wenn du drin arbeitest; sie soll dir Distel und Dornen tragen und in dem Schweiß deines Angesichts sollst du essen dein Brot[169]." Es ist noch viel Land, das nicht umgepflügt und beackert ist.

Es folgt nach der Mißbrauch des Fressens und Saufens, wovon wir Deutschen als einem besonderen Laster kein gutes Geschrei haben in fremden Landen, welchem mit Predigen hinfort nimmer zu raten ist, so sehr ist es eingerissen und hat überhand genommen. Es wäre der Schade am Gut das geringste, wenn die folgenden Laster, Mord, Ehebruch, Stehlen, Gottes Unehre und alle Untugend nicht folgten. Es mag das weltliche Schwert hier etwas wehren, sonst wird's gehen, wie Christus sagt, daß der Jüngste Tag wird kommen wie ein heimlicher Strick[170]; wenn sie werden trinken und essen, freien und buhlen, bauen und pflanzen, kaufen und verkaufen, wie es denn jetzt geht, so stark, daß ich fürwahr hoff, der Jüngste Tag sei vor der Tür, ob man es wohl am wenigsten gedenkt.

Zuletzt: ist das nicht ein jämmerlich Ding, daß wir Christen unter uns sollen halten freie, allgemeine Frauenhäuser, obgleich wir alle zur Keuschheit getauft sind? Ich weiß wohl, was etliche dazu sagen; auch ist es nicht nur *eines* Volkes Gewohnheit geworden, auch schwerlich abzuschaffen, dazu solches besser als eheliche und jungfräuliche Personen oder noch angesehenere zuschanden zu machen. Sollten aber hier nicht bedenken weltliches und christliches Regiment, wie man demselben nicht mit solcher heidnischer Weise könnte zuvorkommen? Hat das Volk von Israel können bestehen ohne solchen Unfug, wie sollte das Christenvolk nicht können auch soviel tun? Ja, wie halten sich viele Städte, Märkte, Flecken und Dörfer ohne solche Häuser? Warum sollten sich große Städte nicht auch halten?

169. I. Mose 3, 17 ff.   170. Luk. 21, 34 f.

106

Ich will aber mit diesen und anderen oben angezeigten Stücken angesagt haben, wie viele gute Werke die weltliche Obrigkeit tun kann und was aller Obrigkeit Amt sein sollte; wodurch ein jeglicher lerne, wie schrecklich es sei, zu regieren und obenan zu sitzen. Was hülfe es, wenn ein Oberherr so heilig wäre für sich selbst wie Sankt Peter; wenn er nicht den Untertanen in diesen Stücken fleißig zu helfen gedenkt, wird ihn doch sein obrigkeitliches Amt verdammen; denn Obrigkeit ist schuldig, der Untertanen Bestes zu suchen; wenn aber die Obrigkeiten darauf bedacht wären, wie man das junge Volk ehelich zusammenbrächte, würde einem jeglichen die Hoffnung auf den ehelichen Stand sehr wohl helfen, die Anfechtungen tragen und ihnen zu wehren. Aber jetzt geht es so zu, daß jedermann zur Pfafferei und Möncherei gezogen wird, unter welchen ich sorge, daß der Hundertste keine andere Ursache hat denn das Suchen nach Nahrung und den Zweifel, ob er sich im ehelichen Leben erhalten könne. Drum sind sie zuvor wild genug und wollen, wie man sagt, ausbuben, wenn auch sich's vielmehr hineinbubet, wie die Erfahrung weiset. Ich finde das Sprichwort wahr, daß Verzweifeln macht den größten Teil Mönch und Pfaffen, drum geht und steht es auch, wie wir sehen.

Ich will aber raten treulich, um viele Sünden, die gröblich einreißen, zu vermeiden, daß weder Knaben noch Mädchen sich zur Keuschheit und geistlichem Leben verpflichten vor dreißig Jahren. Es ist auch eine besondere Gnade, wie Sankt Paul sagt[171]. Drum, welchen Gott nicht sonderlich dazu drängt, der laß sein Geistlichwerden und Geloben anstehen. Ja, weiter sag ich, wenn du Gott so wenig traust, daß du dich nicht könntest im ehelichen Stand ernähren und allein um desselben Mißtrauens willst geistlich werden, so bitt ich dich um deiner eigenen Seele willen, du wollest ja nicht geist-

171. I. Kor. 7, 7.

lich werden, sondern werde eher ein Bauer oder was du magst. Denn wo einfältig Trauen zu Gott sein muß, um zeitliche Nahrung zu erlangen, da muß freilich zehnfältiges Trauen sein, in geistlichem Stande zu bleiben. Traust du nicht,' daß dich Gott könne ernähren zeitlich, wie willst du ihm zutrauen, daß er dich erhalte geistlich? Ach, der Unglaube und Mißtrauen verderbt alle Dinge, führet uns in allen Jammer, wie wir in allen Ständen sehen. Es wäre wohl viel von dem elenden Wesen zu sagen: die Jugend hat niemand, der für sie sorgt. Es geht jedes hin, wie es geht, und sind ihnen die Obrigkeiten ebensoviel nütze, als wären sie nichts, obgleich doch das sollte die vornehmste Sorge des Papstes, der Bischöfe, Herrschaften und Konzilia sein. Sie wollen fern und weit regieren und doch kein Nutz sein. Oh, ein wie seltenes Wildbret wird um dieser Sache willen sein ein Herr und Oberer im Himmel, wenn er schon Gott selbst hundert Kirchen baute und alle Toten aufweckte.

Das sei diesesmal genug[172]; denn was der weltlichen Gewalt und dem Adel zu tun sei, hab ich meines Dünkens genugsam gesagt im Büchlein von den guten Werken; denn sie leben auch und regieren, daß es wohl besser sein sollte. Doch sind da keine gleichen weltlichen und geistlichen Mißbräuche, wie ich daselbst angezeigt habe. Ich beachte auch wohl, daß ich hoch gesungen habe, viele Dinge vorgetragen, die für unmöglich werden angesehen, viele Stücke zu scharf angegriffen. Was soll ich aber tun? Ich bin es schuldig, zu sagen. Könnt' ich, so wollt' ich auch also tun. Es ist mir lieber, die Welt zürne mit mir denn Gott. Man wird mir immer nur das Leben nehmen können. Ich habe bisher vielmals Frieden angeboten meinen Widersachern; aber, wie ich sehe, hat Gott mich durch sie gezwungen, das Maul immer weiter aufzutun und ihnen — weil sie nichts zu tun haben — zu reden, bellen, schreien und schreiben genug zu geben.

172. Bis „. . . angezeigt habe", Zusatz der 2. Auflage.

Wohlan, ich weiß noch ein Liedlein von Rom[173] und von ihnen; jucket sie das Ohr, ich will's ihnen auch singen und die Noten aufs höchste stimmen; verstehst mich wohl, liebes Rom, was ich meine.

Auch hab ich mein Schreiben vielmals zu Erkenntnis und Verhör erboten, was alles nichts geholfen hat; wie wohl auch ich weiß, wenn meine Sache recht ist, daß sie auf Erden muß verdammt und allein von Christo im Himmel gerechtfertigt werden. Denn das ist die ganze Schrift, daß der Christen und Christenheit Sache allein von Gott muß gerichtet werden, ist auch noch nie eine von Menschen auf Erden gerechtfertigt worden, sondern ist allezeit der Widerpart zu groß und stark gewesen. Es ist auch meine allergrößte Sorge und Furcht, daß meine Sache könnte unverdammt bleiben, daran ich gewißlich erkennen würde, daß sie Gott nicht gefalle. Darum laß es nur frisch einhergehn, es sei Papst, Bischof, Pfaff, Mönch oder Gelehrte; sie sind das rechte Volk, die da sollen die Wahrheit verfolgen, wie sie allzeit getan haben. Gott gebe uns allen einen christlichen Verstand und sonderlich dem christlichen Adel deutscher Nation einen rechten geistlichen Mut, der armen Kirche das beste zu tun.

AMEN.

---

173. „*Von der babylonischen Gefangenschaft der Kirche*", s. S. 6.

VON DER FREIHEIT EINES
CHRISTENMENSCHEN
1 5 2 0*

Ein Sendbrief an den Papst Leo X.

Dem in Gott allerheiligsten Vater, Leo dem Zehenten,
Papst zu Rom[1], alle Seligkeit in Christo Jesu,
unserm Herrn. Amen.

In Gott allerheiligster Vater. Es zwingt mich der
Handel und Streit, in welche ich mit etlichen wüsten
Menschen zu dieser Zeit nun bis ins dritte Jahr kommen
bin[2], zuweilen nach dir zu sehen und dein zu gedenken.
Ja, dieweil es dafür gehalten wird, du seiest die einzige
Hauptsach dieses Streites, so kann ich's nicht lassen, dein
ohn Unterlaß zu gedenken. Denn wiewohl ich von et-
lichen deiner unchristlichen Schmeichler, welche ohn alle
Ursach auf mich erhitzt sind, gedrungen bin, mich auf
ein christlich, frei Konzilium von deinem Stuhl und Gericht in meiner Sach zu berufen[3], so hab ich doch meinen
Sinn noch nie so von dir entfremdet, daß ich nicht aus

* Die ganze Schrift sollte dazu dienen, dem Streit, in dessen
Mittelpunkt Luther stand, seine Schärfe zu nehmen, dem Papste
zu versichern, daß L. gegen seine Person nichts habe, Frieden
wolle und die Verschärfung der Lage zuzuschreiben sei Johann
Eck, dem Ingolstädter Professor, der sich zum Vorkämpfer
der Kurie gegen L. entwickelt hatte und in ihrem Auftrag die
Bannandrohungsbulle in Mitteldeutschland zu veröffentlichen
begann.

1. 1513—21.
2. D. h. seit dem Thesenanschlag 31. Oktober 1517.
3. L.s Appellation an ein zukünftiges freies Konzil, das ihm
als eine dem Papst übergeordnete Instanz galt und von dem er
die Verhandlung seiner Sache erhoffte, erfolgte am 28. November 1518 in Wittenberg.

allen meinen Kräften dir und deinem römischen Stuhl das Beste allzeit gewünscht und mit fleißigem, herzlichem Gebet, so viel ich vermochte, bei Gott gesucht habe. Wahr ist es, daß ich die, so bisher mit der Höhe und Größe deines Namens und Gewalt zu drohen sich bemühet haben, gar sehr zu verachten und zu überwinden mir vorgenommen habe. Aber etwas liegt nun vor, welchs ich nicht wage zu verachten, welchs auch die Ursach ist, daß ich abermals[4] an dich schreibe, und ist nämlich, daß ich merke, wie ich verdächtigt und mir übel ausgelegt wird, daß ich soll auch deiner Person nicht verschonet haben.

Ich will aber frei und öffentlich das bekennen, daß mir nicht anders bewußt ist, als daß ich, so oft ich deiner Person habe gedacht, allzeit das Ehrerbietigste und Beste von dir gesagt habe. Und wo ich das irgendwann nicht hätte getan, könnt' ich's selbst keineswegs loben und müßte meiner Ankläger Urteil mit vollem Bekenntnis bekräftigen und wollte nichts Lieberes, denn solchem meinem Frevel und Bosheit das Widerspiel singen und mein sträflich Wort widerrufen. Ich hab dich genennet einen Daniel zu Babylon, und wie ich deine Unschuld so fleißig habe beschützt wider deinen Lästerer Sylvester[5], kann ein jeglicher, der es lieset, überreichlich sich überzeugen.

Es ist ja dein Ruf und deines guten Lebens Name in aller Welt bekannt, durch viel Hochgelehrte herrlicher und besser gepriesen, als daß es jemand mit welcher List auch immer antasten könnte, er sei so groß, wie er mag. Ich bin nicht so närrisch, daß ich allein den angriffe, den jedermann lobet; dazu hab ich allzeit die Weise ge-

4. Ein erstes Schreiben entstand auf Miltitz' Bitte am 5. Januar 1519; doch machte dieser keinen Gebrauch davon.
5. Sylvester Mazzolini Prierias (d. h. aus Prierio), Dominikaner, gest. 1523, hatte L. literarisch angegriffen; dieser antwortete ihm im August 1518.

habt und will sie fortan haben, auch die nicht anzutasten, die sonst vor jedermann ein böses Geschrei haben. Mir ist nicht wohl bei der Anderen Sünde, der ich wohl weiß, wie ich auch einen Balken in meinem Auge habe[6] und gewiß der erste nicht sein kann, der den ersten Stein auf die Ehebrecherin werfe[7].

Ich habe wohl scharf angegriffen, doch im allgemeinen etliche unchristliche Lehren, und bin gegen meine Widersacher bissig gewesen nicht um ihres bösen Lebens, sondern um ihrer unchristlichen Lehre und Beschützens willen, welches mich so ganz und gar nicht reuet, daß ich mir's auch vorgenommen hab, in solcher Emsigkeit und Schärf zu bleiben, ungeachtet, wie mir dasselbe etliche auslegen, da ich hier Christus' Exempel hab, der auch seine Widersacher nennet Schlangenkinder, Gleisner, Blinde, des Teufels Kinder[8], und Sankt Paulus den Magus heißet ein Kind des Teufels, und der voll Bosheit und Trügerei sei[9], und etliche falsche Apostel schilt er Hunde, Betrüger und Verkehrer von Gottes Wort[10]. Wenn die weichen, zarten Ohren solches hätten gehöret, würden sie auch wohl sagen, es wäre niemand so bissig und ungeduldig wie Sankt Paulus. Und wer ist bissiger als die Propheten? Aber zu unsern Zeiten sind unsere Ohren so sehr zart und weich geworden durch die Menge der schädlichen Schmeichler, daß wir, sobald wir nicht in allen Dingen gelobt werden, schreien, man sei bissig. Und dieweil wir uns anders der Wahrheit nicht erwehren können, entschlagen wir uns doch derselben durch erdichtete Ursach der Bissigkeit, der Unduldsamkeit und der Unbescheidenheit. Was soll aber das Salz, wenn es nicht scharf beißt[11]? Was soll die Schneide am

6. Vgl. Matth. 7, 3.
7. Vgl. Joh. 8, 7.
8. Matth. 23, 33. 13. 17. Joh. 8, 44.
9. Apg. 13, 10.
10. Phil. 3, 2 und II. Kor. 11, 13; 2, 17.
11. Vgl. Matth. 5, 13.

Schwert, wenn sie nicht scharf ist, zu schneiden? Sagt doch der Prophet, der Mann sei vermaledeiet, der Gottes Gebot lässig tut und zu sehr verschonet[12].

Darum bitt ich, Heiliger Vater Leo, du wollest diese meine Entschuldigung dir gefallen lassen und mich gewiß für den halten, der wider deine Person nie etwas Böses habe vorgenommen und der so gesinnet sei, daß er dir wünsche und gönn das Allerbeste, der auch keinen Hader noch Gezänk mit jemand haben wolle um jemandes bösen Lebens, sondern allein um des göttlichen Wortes Wahrheit willen. In allen Dingen will ich jedermann gern weichen, das Wort Gottes will und kann ich nicht verlassen noch verleugnen. Hat jemand eine andere Vorstellung von mir oder meine Schrift anders verstanden, der irret und hat mich nicht recht verstanden.

Das ist aber wahr: Ich habe frisch angetastet den Römischen Stühl, den man nennet Römischen Hof[13], von welchem weder du selbst noch jemand anders auf Erden anders bekennen kann, als daß er sei ärger und schändlicher, denn je ein Sodoma, Gommorrha oder Babylonien gewesen ist. Und, so viel ich merk, so ist seiner Bosheit hinfort weder zu raten noch zu helfen. Es ist alles überaus verzweifelt und grundlos da geworden. Darum hat mich's verdrossen, daß man unter dem Namen und der römischen Kirchen Schein das arme Volk in aller Welt betrog und schädigte, dawider hab ich mich gelegt und will mich auch weiterhin legen, so lang in mir mein christlicher Geist lebet. Nicht daß ich mich vermeß solcher unmöglicher Dinge oder verhoffte, etwas auszurichten in der allergreulichsten römischen Sodoma und Babylonien, vor allem dieweil mir so viel wütende Schmeichler widerstreben, sondern weil ich weiß, daß ich allen Christenmenschen zum Dienst verpflichtet bin und mir daher gebührt, ihnen zu raten und sie zu warnen, daß sie doch weniger an Zahl und mit geringerem

12. Jer. 48, 10.   13. lat. curia.

Schaden verderbet würden von den römischen Zerstörern.

Denn das ist dir selbst jedenfalls nicht verborgen, wie nun viel Jahre lang aus Rom in alle Welt nichts anderes denn Verderben des Leibs, der Seelen, der Güter, und aller bösen Dinge allerschädlichste Exempel gleichsam hineingeströmt und eingerissen sind. Welches alles öffentlich am Tag jedermann bewußt ist, wodurch die Römische Kirche, die vorzeiten die allerheiligste war, nun geworden ist eine Mordgruben über alle Mordgruben, ein Hurenhaus über alle Hurenhäuser, ein Haupt und Reich aller Sünde, des Todes und der Verdammnis, so daß man sich nicht gut denken kann, wie die Bosheit hier noch zunehmen könne, wenngleich der Antichrist selber käme.

Indes sitzest du, Heiliger Vater Leo, wie ein Schaf unter den Wölfen und wie Daniel unter den Löwen und mit Ezechiel unter den Skorpionen[14]. Was vermagst du einzelner wider soviel wilde Wundertiere; und ob dir schon drei oder vier gelehrte Kardinäle zufielen, was wäre das unter solchem Haufen? Ihr müßtet eher durch Gift untergehen, ehe ihr begännet, der Sache aufzuhelfen. Es ist aus mit dem Römischen Stuhl, Gottes Zorn hat ihn überfallen ohn Aufhören. Er ist feind den allgemeinen Konzilien, er will sich nicht unterweisen noch reformieren lassen und vermag doch nicht, sein wütendes, unchristliches Wesen zu hindern, womit er erfüllet, was gesagt ist von seiner Mutter, der alten Babylon, Jerem. 51 (9): „Wir haben viel geheilet an der Babylon; dennoch ist sie nicht gesund geworden, wir wollen sie fahren lassen."

Es sollte wohl dein und der Kardinäle Werk sein, daß ihr diesem Jammer wehret, aber die Krankheit spottet der Arznei, Pferd und Wagen geben nichts auf den Fuhrmann; das ist die Ursach, warum es mir allzeit ist

14. Dan. 6, 16 ff. und Hesek. 2, 6.

leid gewesen, du frommer Leo, daß du ein Papst worden bist in dieser Zeit, der du wohl würdig wärest, zu besseren Zeiten Papst zu sein. Der Römische Stuhl ist deiner und deinesgleichen nicht wert, sondern der böse Geist sollte Papst sein, der auch gewißlich mehr denn du in der Babylon regiert.

O wollte Gott, daß du entledigt der Ehre (wie sie es nennen, deine allerschädlichsten Feinde), etwa von einer Pfründe oder deinem väterlichen Erbe dich erhalten könntest[15]. Fürwahr, mit solcher Ehre würde billigerweise niemand denn Judas Ischarioth und seinesgleichen, die Gott verstoßen hat, geehret sein. Denn sag mir, wozu bist du doch nutz in dem Papsttum; denn je ärger und verzweifelter einer ist, desto mehr und stärker mißbraucht er deine Gewalt und Titel, die Leute zu schädigen an Gut und Seel, Sünd und Schand zu mehren, den Glauben und Wahrheit zu dämpfen. O du allerunseligster Leo, der du sitzest auf dem allergefährlichsten Stuhl – wahrlich, ich sag dir die Wahrheit, denn ich gönn dir Gutes.

Wenn schon Sankt Bernhard seinen Papst Eugenium[16] beklagt, wo doch der Römische Stuhl, wiewohl er auch schon zu der Zeit in übelstem Zustand war, noch in guter Hoffnung auf Besserung regiert wurde, wieviel mehr müssen wir dich beklagen, dieweil in diesen dreihundert Jahren die Bosheit und das Verderben so unwiderstehlich überhandgenommen hat. Ist's nicht wahr, daß unter dem weiten Himmel nichts Ärgeres, Vergifteteres, Hassenswerteres ist denn der Römische Hof; denn er überschreitet der Türken Untugend weit, so daß es wahr ist, Rom sei vorzeiten gewesen eine Pforte des Himmels und ist jetzt ein weit aufgesperreter Rachen

---

15. Leo war ein Medici!

16. Eugen III., Papst 1145–53, Schüler Bernhards von Clairvaux; dieser bedauerte, daß dem asketischen Mönche eine solche, notwendig weltlich-politische Aufgabe zufalle.

der Hölle und leider ein solcher Rachen, den durch Gottes Zorn niemand kann zusperren; und kein Rat mehr übrig ist, als daß wir etliche warnen und bewahren könnten, daß sie von dem römischen Rachen nicht verschlungen werden.

Siehe da, mein Heiliger Vater, das ist die Ursach und der Beweggrund, warum ich so hart wider diesen pestilentischen Stuhl gestoßen habe. Denn ich habe mir so wenig vorgenommen, wider deine Person zu wüten, daß ich auch gehoffet habe, ich würd' bei dir Gnad und Dank verdienen, und es würde als zu deinem Besten gehandelt erkannt werden, wenn ich solchen deinen Kerker, ja deine Hölle, nur frisch und scharf angriffe; denn ich erachte, es wäre dir und vielen anderen gut und selig, alles, was alle vernünftigen und gelehrten Männer wider die allerwüsteste Unordnung deines unchristlichen Hofs vermochten aufzubringen. Sie tun fürwahr ein Werk, das du solltest tun — alle, die solchem Hof nur alles Leid und alles Übel tun; sie ehren Christum, alle, die den Hof aufs allermeist zuschanden machen. Kurz: sie sind alle gute Christen, die böse Römische sind.

Ich will noch weiter reden. Es wäre mir auch dasselbe nie in mein Herz gekommen, daß ich wider den Römischen Hof hätte rumoret oder etwas von ihm disputiert; denn dieweil ich sahe, daß ihm nicht zu helfen, Kosten und Mühe verloren waren, hab ich ihn verachtet, einen Abschiedsbrief[17] geschenkt und gesagt: „Ade, liebs Rom, stink fortan, was da stinkt, und bleib unrein für und für, was unrein ist." Ich hab mich also begeben an das stille, geruhige Studieren der Heiligen Schrift, damit ich förderlich wäre denen, bei welchen ich wohnte. Da ich hier nun nicht unfruchtbarlich handelte, tat der böse Geist seine Augen auf und ward des gewahr; behend erweckt er mit einer unsinnigen Ehrgeizigkeit seinen Diener, Johann Eck, einen besonderen Feind Christi und

17. Vgl. Matth. 5, 31.

der Wahrheit, gab ihm ein, daß er mich unversehens hineinrisse in eine Disputation und ergriffe bei einem Wörtlein, von dem Papsttum gesagt, das mir von ungefähr entfallen war[18]. Da warf sich auf der große ruhmredige Held, sprühet und schnaubt, als hätt' er mich schon gefangen, gab vor, er wolle zu Ehren Gottes und Preis der Heiligen Römischen Kirche alle Dinge wagen und ausführen, blies sich auf und maßte sich deine Gewalt an, welche er dazu gebrauchen wollte, daß er zum obersten Theologus in der Welt berufen würde, was ihm auch gewiß mehr am Herzen liegt als das Papsttum, ließ sich dünken, es sollte ihm nicht wenig zuträglich dabei sein, wenn er Doktor Luthern im Heerschild[19] führet. Da ihm nun das mißlungen, will der Sophist unsinnig werden, denn er fühlet nun, wie durch seine Schuld allein dem Römischen Stuhl Schand und Schmach durch mich entstanden ist.

Laß mich hier, Heiliger Vater, meine Sache auch einmal vor dir behandeln und bei dir deine wirklichen Feinde verklagen. Es ist dir ohne Zweifel bewußt, wie mit mir gehandelt hat zu Augsburg der Kardinal Sankt Sixti, dein Legat[20]: fürwahr unbescheiden und unrichtig, ja auch untreu. In dessen Hand ich um deinetwillen alle meine Sachen so gelegt habe, daß er Frieden gebieten sollte; ich wollte der Sachen ein End lassen sein und stille schweigen, wenn meine Widersacher auch still stünden, welches er leicht mit einem Wort hätte können ausrichten. Da juckte ihn der Kitzel zeitlichen Ruhms zu sehr,

18. In der Diskussion über die Oberhoheit des Papsttums in der Kirche während der ersten vier Jahrhunderte, die, von L. schon gelegentlich angezweifelt, in der Leipziger Disputation (Juli 1519) ihm zur Veranlassung wurde, sich von der göttlichen Autorität des römischen Stuhls loszusagen.

19. Als Trophäe, Zeichen seines Sieges über L.

20. Der hier nach der ihm zugewiesenen römischen Titelkirche S. Sixtus bezeichnete Kardinal Vico de Gaeta (Cajetan), der L. in Augsburg Mitte Oktober 1518 in päpstlichem Auftrag verhörte.

er verachtete mein Anerbieten, unterstand sich, meine Widersacher zu rechtfertigen, ihnen nur den Zaum länger zu lassen und mir zu widerrufen zu gebieten, wozu er keinen Befehl hatte. So ist's geschehen durch seinen mutwilligen Frevel, daß die Sache ist seither viel ärger geworden, die zu der Zeit an einem guten Ort war. Darum, was weiter danach ist gefolgt, ist nicht mein, sondern desselben Kardinals Schuld, der nicht mir gönnen wollte, daß ich schweige, wie ich so hoch bat. Was sollt' ich da weiter tun?

Danach ist kommen Herr Carol von Miltitz[21], auch deiner Heiligkeit Botschafter, welcher mit vieler Mühe hin und her reiste und allen Fleiß aufwendete, die Sache wieder an den rechten Ort zu rücken, von dem sie der Kardinal hochmütig und freventlich fortgestoßen hatte, und zuletzt mit Hilfe des durchlauchtigsten hochgeborenen Kurfürsten Friedrich zu Sachsen usw. es zuwege brachte, etliche Male mit mir zu sprechen. Hier habe ich abermals mich lassen weisen und deinem Namen zu Ehren zum Schweigen bringen, die Sache von dem Erzbischof zu Trier oder dem Bischof zu Naumburg anhören und entscheiden zu lassen eingewilligt, welches so geschehen und angeordnet wurde[22]. Da solches in guter Hoffnung und im Frieden stand, bricht herein dein größter wirklicher Feind, Johannes Eck, mit seiner Disputation zu Leipzig[23], die er hatte sich vorgenommen wider Doktor Karlstadt, und mit seinen wetterwendischen Worten findet er ein Fündlein von dem Papsttum und richtet auf mich unversehens seine Fahnen und ganzes Heer, zerstört damit ganz des geplanten Friedens Vorschlag.

Indessen wartete Herr Carolus, die Disputation ging

21. Karl von Miltitz (1490–1529), römischer Kleriker aus meißnischem Adel; mit verschiedenen päpstlichen Aufträgen versehen, versuchte er u. a. mehrfach eine friedliche Lösung des Konflikts, ohne Einsicht in die tieferen Beweggründe.
22. Bei der Zusammenkunft in Altenburg, Januar 1519.
23. S. Anm. 18, S. 117.

vor sich, Richter wurden erwählt, es ist aber nichts ausgerichtet worden, welches mich nicht wundert, denn Eck
brachte mit seinen Lügen, Sendbriefen und heimlichen
Praktiken in die Sache solche Verbitterung und Verwirrung hinein und zerschlug sie so, daß ohne Zweifel, auf
welche Seite das Urteil auch gefallen wäre, sich ein
größeres Feuer entzündet hätte. Denn er sucht Ruhm
und nicht die Wahrheit. So hab ich allzeit getan, was
mir auferlegt war, und habe nichts unterlassen, das mir
zu tun gebührte. Ich gebe zu, daß dadurch ein nicht
kleiner Teil römischen unchristlichen Wesens ist an den
Tag gekommen; aber wenn Schuld dabei ist, so ist es
nicht meine, sondern Ecks Schuld, welcher einer Sache
sich unterwunden, der er nicht Manns genug gewesen
und durch sein Ehrsuchen die römischen Laster in aller
Welt in Schanden gebracht hat.

Dieser ist, Heiliger Vater Leo, dein und des Römischen Stuhls Feind; aus seinem Exempel allein kann jedermann lernen, daß es keinen schädlicheren Feind gibt
als einen Schmeichler. Was hat er mit seinem Schmeicheln
anders angerichtet als nur ein solch Unglück, das kein
König hätte zuwege bringen können. Es stinkt jetzt übel
des Römischen Hofes Namen in aller Welt; das päpstliche
Ansehen ist matt, die römische Unwissenheit hat einen
schlechten Ruf, wovon nichts verlauten würde, wenn Eck
Karls und meinen Vorschlag zum Frieden nicht umge-
stoßen hätte. Welches er auch nun selbst empfindet und
ist — wiewohl zu spät und vergebens — unwillig über
meine hinausgegangenen Büchlein[24]; das sollte er vorher
bedacht haben, da er nach dem Ruhm wie ein übermüti-
ges ausgelassenes Roß wieherte und nichts mehr als das
seine, mit großem Nachteil für dich, suchet. Er meinte,
der eitle Mann, ich würde mich vor deinem Namen
fürchten, ihm Raum lassen und schweigen — denn es

24. Vor allem die Schriften „An den christlichen Adel“ und
„Von der babylonischen Gefangenschaft der Kirche“.

119

aus Kunst und Geschicklichkeit dahin zu bringen, meine ich, hat er sich nicht vermessen. Nun, da er siehet, daß ich dennoch getrost bin und mich weiter hören lasse, kommt ihm die späte Reue seines Frevels und wird inne, wenn er überhaupt etwas innewerden kann, daß einer im Himmel ist, der den Hochmütigen widersteht[25] und die vermessenen Geister demütigt.

Da nun nichts durch die Disputation ward ausgerichtet als nur größere Unehre des Römischen Stuhls, ist Herr Carolus zu den Vettern meines Ordens gekommen und Rat begehrte, die Sache zu schlichten und zu stillen, zumal sie aufs allerwüsteste und gefährlichste stand. Da wurden etliche tapfere von denselben zu mir gesandt[26], dieweil es nicht zu vermuten stand, daß mit Gewalt gegen mich etwas geschafft werden könnte, haben begehrt, daß ich doch möchte deine Person, Heiliger Vater, ehren und mit einer untertänigen Schrift deine und meine Unschuld verteidigen, in der Meinung, es sei die Sach noch nicht gänzlich verloren und verzweifelt, wenn der Heilige Vater Leo würde nach seiner angeborenen, hochberühmten Gütigkeit die Hand daran legen. Dieweil ich aber allzeit hab Frieden angeboten und begehrt, auf daß ich stillem und besserem Studieren obliegen könnte, habe ich sie mit Dank aufgenommen und mich aufs willigste lenken lassen und es für eine besondere Gnade gehalten, wenn es so, wie wir hoffen, geschehen könnte. Denn ich hab auch aus keiner andern Ursache so mit starkem Mut, Worten und Schreiben mich geregt und rumort, als um die niederzulegen und zum Schweigen zu bringen, von denen ich wohl sah, daß sie mir bei weitem zu gering seien.

So komm ich nun, Heiliger Vater Leo, und zu deinen Füßen liegend bitte ich, wenn es möglich ist, du wolltest

25. I. Petr. 5, 5.
26. Der Augustinerkonvent in Eisleben Ende August 1520 schickte u. a. Staupitz und Link zu L.

deine Hand dran legen, den Schmeichlern, die des Friedens Feind sind und doch Frieden vorgeben, einen Zaum einzulegen. Daß ich aber sollt' widerrufen meine Lehre, da wird nichts draus, es darf sich dies auch niemand vornehmen, er wolle denn die Sache noch mehr verwirren; darüber hinaus kann ich nicht dulden Regel oder Maß, die Schrift auszulegen, dieweil das Wort Gottes, das alle Freiheit lehret, nicht soll noch muß gefangen sein[27]. Wenn mir diese zwei Stücke bleiben, so soll's für mich keine Auflage geben, die ich nicht mit allem Willen tun und dulden will. Ich bin dem Hader feind, will niemand anregen noch reizen, ich will aber auch ungereizet sein; werd ich aber gereizet, will ich, wenn Gott will, nicht sprachlos noch schriftlos sein. Es kann jederzeit deine Heiligkeit mit leichten kurzen Worten alle diese Haderei an sich nehmen und austilgen und daneben Schweigen und Frieden gebieten, welches ich allezeit zu hören ganz begierig bin gewesen.

Darum, mein Heiliger Vater, wolle niemals anhören deine süßen Ohrensinger, die da sagen[28], du seiest nicht ein bloßer Mensch, sondern vermischt mit Gott, der alle Dinge zu gebieten und zu fordern habe: es wird nicht so geschehen, du wirst's auch nicht ausführen, du bist ein Knecht aller Knechte Gottes und in einem gefährlicheren, elenderen Stand als irgendein Mensch auf Erden. Laß dich nicht betrügen durch die, die dir vorlügen und -heucheln, du seist ein Herr der Welt, die niemand einen Christen wollen sein lassen, er sei denn dir unterworfen, die da schwätzen, du habest Gewalt im Himmel, in der Hölle und im Fegfeuer; sie sind deine Feinde und suchen deine Seele zu verderben. Wie Jesaias (3, 12) sagt: „Mein liebes Volk: welche dich loben und erheben, die betrügen dich." Sie irren alle, die da sagen: du seiest

27. Vgl. II. Tim. 2, 9.
28. In den Reden des V. Laterankonzils (1512-17) waren ähnliche Äußerungen gefallen.

über das Konzilium und die allgemeine Christenheit. Sie irren, die dir allein Gewalt geben, die Schrift auszulegen. Sie suchen allesamt nichts anderes, denn wie sie unter deinem Namen ihr unchristliches Vorhaben in der Christenheit stärken könnten, wie denn der böse Geist leider durch viele deiner Vorfahren getan hat. Kurz: glaub nur niemand von denen, die dich erheben, sondern allein denen, die dich demütigen; das ist Gottes Gericht, wie geschrieben steht: „Er hat abgesetzt die Gewaltigen von ihren Stühlen und erhoben die Geringen[29]."

Siehe, wie ungleich sind Christus und seine Statthalter, obgleich sie doch alle wollen seine Statthalter sein und ich fürwahr fürcht, sie seien allzu wahrhaftig seine Statthalter. Denn ein Statthalter ist in Abwesenheit seines Herrn ein Statthalter. Wenn denn ein Papst in Abwesenheit Christi, der nicht in seinem Herzen wohnet, regieret, ist derselbe nicht allzuwahrhaftig Christi Statthalter? Was kann aber denn ein solcher Haufe anders sein denn eine Versammlung ohne Christus? Was kann aber auch denn ein solcher Papst sein denn ein Antichrist und Abgott? Wieviel besser taten die Apostel, die sich nur Knechte Christi, in ihm wohnend, nicht Statthalter des Abwesenden nannten und sich nennen ließen.

Ich bin vielleicht unverschämt, daß ich eine solche große Höhe zu belehren scheine, von welcher doch jedermann sollte gelehrt werden, wie auch etliche deiner giftigen Schmeichler dich erheben, als ob alle Könige und Richterthrone von dir Urteil empfingen. Aber ich folge hierin Sankt Bernhard in seinem Buch an den Papst Eugenius, welches alle Päpste gut täten, auswendig zu können[30]. Ich tue es niemals in der Absicht, dich zu lehren, sondern aus lauterer treuer Sorge und Pflicht, die jedermann mit Recht zwingt, auch in sicheren Din-

29. Luk. I, 52.
30. Vgl. Anm. 16, S. 115. Gemeint ist die Schrift *„De consideratione libri V"*.

gen für unseren Nächsten Sorge zu tragen, und läßt uns keine Rücksicht nehmen auf Würde oder Unwürde, so sehr nimmt sie des Nächsten Gefahr oder Vorteil wahr. Dieweil ich denn weiß, wie deine Heiligkeit webt und schwebt zu Rom, das ist auf dem höchsten Meer, das mit unzähligen Fährlichkeiten an allen Orten wütet, und in solchem Jammer lebt und arbeitet, so daß dir auch wohl not ist des allergeringsten Christen Hilfe, so hab ich's nicht für unpassend angesehen, daß ich deiner Majestät so lange vergesse, bis ich brüderlicher Liebe Pflicht ausgerichtet habe. Ich mag nicht schmeicheln in solcher ernsten, gefährlichen Sache; wenn etliche in ihr mich nicht verstehen wollen, wie ich dein Freund und mehr denn untertan bin, so wird sich der wohl finden, der es versteht.

Am End, auf daß ich nicht leer komme vor deine Heiligkeit, so bring ich mit mir ein Büchlein, unter deinem Namen ausgegangen, als einen guten Wunsch und Anfang des Friedens und guter Hoffnung, daraus deine Heiligkeit schmecken kann, mit was für Geschäften ich gerne wollt' und auch fruchtbarlich könnte umgehn, wenn mir's angesichts deiner unchristlichen Schmeichler möglich wäre. Es ist ein klein Büchle, wenn das Papier wird angesehen, aber dennoch ist die ganze Summa eines christlichen Lebens darin begriffen, wenn der Sinn verstanden wird. Ich bin arm, hab nichts anderes, womit ich meinen Dienst erzeige, auch bedarfst du lediglich der Mehrung an geistlichen Gütern. Damit befehle ich mich deiner Heiligkeit, die ihm behalte ewig Jesus Christus. AMEN.

Zu Wittenberg. Sexta Septembris[31]. 1520

31. Die im Oktober 1520 entstandene Schrift ist auf Miltitz' Bitte vordatiert, weil sie die im August bereits getroffenen Vereinbarungen (s. Anm. 26, S. 120) erfülle und nicht der Eindruck entstehen sollte, sie sei auf Grund der Ende September bekannt gewordenen Bannandrohungsbulle geschrieben worden.

Von der Freiheit eines Christenmenschen

Dem umsichtigen und weisen Herrn Hieronymus Mühl-
pfordt, Stadtvogt zu Zwickau, meinem besonderen,
geneigten Freunde und Patron, entbiete ich, genannt
Doktor Martinus Luther, Augustinerordens, meine willi-
gen Dienste und alles Gute[32].

Umsichtiger, weiser Herr und geneigter Freund! Der
würdige Magister Johann Egran[33], eurer löblichen Stadt
Prediger, hat mir hoch gepreiset euer Lieb und Lust, die
ihr der Heiligen Schrift entgegenbringt, welche ihr auch
emsig zu bekennen und vor den Menschen zu preisen
nicht nachlasset. Weil er begehret, mich mit euch bekannt
zu machen, habe ich mich willig und fröhlich dazu bereden lassen, denn es ist mir eine besondere Freude, zu
hören, wo die göttliche Wahrheit geliebt wird, der leider
so viele und die am meisten, die sich ihres Vorrechts (an
dieser Wahrheit) rühmen, mit aller Gewalt und List
widerstreben, wiewohl es so sein muß, daß an Christus,
der zu einem Ärgernis und Zeichen gesetzt ist, dem
widersprochen werden muß, viele sich stoßen, fallen
und auferstehen müssen. Darum hab ich, um unsere Be-
kanntschaft und Freundschaft zu beginnen, dies Trak-
tätel und Sermon euch wollen widmen im Deutschen,
welches ich lateinisch dem Papst hab gewidmet, womit
ich für jedermann den Grund, wie ich hoffe, unanfechtbaren
Grund meines Lehrens und Schreibens vom Papsttum
dargelegt habe. Ich befehle mich hiermit, euch und alle
miteinander der göttlichen Gnade. AMEN. Zu Wittenberg. 1520.

32. Wider den Willen L.s hatte sein Drucker den Sendbrief
bereits gesondert erscheinen lassen, so daß sich für die nun-
mehr selbständig herauskommende Schrift die Möglichkeit
einer neuen Widmung ergab.
33. Johann Wildenauer (Sylvius) aus Eger, ein früher Anhänger L.s.

Zum ersten. Damit wir gründlich können erkennen, was ein Christenmensch sei und was es sei um die Freiheit, die ihm Christus erworben und gegeben hat, davon Sankt Paulus viel schreibt, will ich diese zwei Sätze aufstellen:

Ein Christenmensch ist ein freier Herr über alle Ding und niemand untertan.

Ein Christenmensch ist ein dienstbarer Knecht aller Ding und jedermann untertan.

Diese zwei Sätze sind klärlich Sankt Paulus' Sätze: I. Kor. 9 (19): „Ich bin frei in allen Dingen und hab mich zu eines jeden Knecht gemacht." Item Röm. 13 (8): „Ihr sollt niemand etwas schuldig sein, denn daß ihr euch untereinander liebet." Liebe aber, die ist dienstbar und untertan dem, das sie lieb hat. So auch von Christo Gal. 4 (4): „Gott hat seinen Sohn ausgesandt, von einem Weib geboren und dem Gesetz untertan gemacht."

Zum andern. Um diese zwei einander widersprechenden Sätze von der Freiheit und der Dienstbarkeit zu verstehen, sollen wir bedenken, daß ein jeglicher Christenmensch ist von zweierlei Natur, geistlicher und leiblicher. Nach der Seele wird er ein geistlicher, neuer, innerer Mensch genannt, nach dem Fleisch und Blut wird er ein leiblicher, alter und äußerer Mensch genannt[34]. Und um dieses Unterschiedes willen wird von der Schrift einander Widersprechendes gesagt, wie ich jetzt gesagt habe, von der Freiheit und Dienstbarkeit.

Zum dritten. Nehmen wir uns vor den *inwendigen*

34. „Christenmensch" bedeutet nicht dasselbe wie „Mensch", und der Gegensatz, von dem L. hier redet, ist nicht in erster Linie der von Äußerlichkeit und Innerlichkeit, sondern der zwischen dem alten, der Sünde und dem Leibe verhafteten Menschen und dem vom Heiligen Geist als dem Geist Gottes und Jesu Christi in der Seele begonnenen neuen, gerechten, freien Menschen.

geistlichen Menschen, um zu sehen, was dazu gehöre,
daß er ein frommer, freier Christenmensch sei und heiße,
so ist's offenbar, daß kein äußerlich Ding kann ihn frei
noch fromm machen, wie es mag immer genannt werden;
denn sein Frommsein[35] und seine Freiheit, wiederum
seine Bosheit und sein Gefängnis, sind nicht leiblich noch
äußerlich. Was hilft es der Seelen, daß der Leib ungefangen, frisch und gesund ist, isset, trinkt, lebt, wie er will?
Wiederum, was schadet das der Seelen, daß der Leib
gefangen, krank und matt ist, hungert, dürstet und leidet, wie er's nicht gern will? Dieser Dinge reichet keines
bis an die Seelen, sie zu befreien oder zu fangen, fromm
oder böse zu machen.

Zum vierten. So hilft es der Seele nichts, wenn der
Leib heilige Kleider anlegt, wie die Priester und Geistlichen tun, auch nicht, wenn er in den Kirchen und heiligen Stätten ist, auch nicht, wenn er mit heiligen Dingen
umgeht, auch nicht, wenn er leiblich betet, fastet, wallfahrtet und alle guten Werke tut, die immer durch und
in dem Leibe geschehen können. Es muß noch ganz
etwas anderes sein, das der Seele bringe und gebe
Frommsein und Freiheit. Denn alle diese obengenannten
Stücke, Werke und Weisen kann auch an sich haben
und üben ein böser Mensch, ein Gleisner und Heuchler.
Auch entsteht durch solch Wesen kein ander Volk denn
eitel Gleisner. Wiederum schadet es der Seele nichts,
wenn der Leib unheilige Kleider trägt, an unheiligen
Orten ist, ißt, trinkt, nicht wallfahrtet und betet und
lässet alle die Werk anstehen, die die obgenannten Gleisner tun.

Zum fünften hat die Seele kein ander Ding, weder im

35. L.: frumkeyt, Frömmigkeit. Unsere damit verbundenen
Vorstellungen beziehen sich auf eine menschliche Eigenschaft
oder ein menschliches Verhalten; bei L. ist die Geltung vor
Gott gemeint, wobei sowohl die in Gott wie die im Menschen
liegenden Voraussetzungen damit bezeichnet werden können.

Himmel noch auf Erden, darin sie lebe, fromm, frei und christlich sei, denn das heilige Evangelium, das Wort Gottes, von Christo gepredigt, wie er selbst sagt Joh. 11 (25): „Ich bin das Leben und Auferstehung; wer da glaubt an mich, der lebet ewiglich." Item 14 (6): „Ich bin der Weg, die Wahrheit und das Leben." Item Matth. 4 (4): „Der Mensch lebet nicht allein von dem Brot, sondern von allen Worten, die da gehen von dem Mund Gottes." So müssen wir nun gewiß sein, daß die Seele kann alle Dinge entbehren außer dem Wort Gottes, und ohne das Wort Gottes ist ihr mit keinem Ding geholfen. Wenn sie aber das Wort Gottes hat, so bedarf sie auch keines anderen Dinges mehr, sondern sie hat in dem Wort Genüge, Speise, Freude, Friede, Licht, Verstand, Gerechtigkeit, Wahrheit, Weisheit, Freiheit und alles Gute überschwenglich. So lesen wir im Psalter, sonderlich im 119. Psalm, daß der Prophet nach nichts mehr schreit, denn nach dem Wort Gottes. Und in der Schrift wird es für die allergrößte Plage und Gottes Zorn gehalten, wenn er sein Wort von den Menschen nimmt, wiederum für keine größere Gnade, als wenn er sein Wort hinsendet, wie Psalm 107 (20) steht: „Er hat sein Wort ausgesandt, damit er ihnen hat geholfen", und Christus um keines andern Amts willen, denn zu predigen das Wort Gottes, gekommen ist, auch alle Apostel, Bischöfe, Priester und der ganze geistliche Stand allein um des Wortes willen ist berufen und eingesetzt, wiewohl es nun leider anders geht.

Zum sechsten. Fragest du aber, welches ist denn das Wort, das solch große Gnade gibt und wie soll ich's gebrauchen? Antwort: Es ist nichts anderes als die Predigt, von Christo geschehen, wie sie das Evangelium enthält. Welche so beschaffen sein soll und ist, daß du hörest deinen Gott zu dir reden, wie all dein Leben und Werk nichts sind vor Gott, sondern du mit allem, das in dir ist, ewiglich verderben müssest. Wenn du das

recht glaubst, wie du zu tun schuldig bist, so mußt du
an dir selber verzweifeln und bekennen, daß wahr sei
der Spruch Hoseä (13, 9): „O Israel, in dir ist nichts
denn dein Verderben, allein in mir aber steht deine
Hilfe." Auf daß du aber aus dir heraus und von dir los,
das ist, aus deinem Verderben loskommen könntest,
setzt er dir vor seinen lieben Sohn Jesum Christum und
lässet dir durch sein lebendiges, tröstliches Wort sagen:
Du sollst in denselben mit festem Glauben dich ergeben
und frisch auf ihn vertrauen. Dann sollen dir um dieses
Glaubens willen alle deine Sünden vergeben, all dein
Verderben überwunden sein und du gerecht, wahrhaftig,
im Frieden, fromm und alle Gebote erfüllt sein, von
allen Dingen frei sein; wie Sankt Paulus sagt Röm. 1
(17): „Ein gerechtfertigter Christ lebt nur von seinem
Glauben", und Röm. 10 (4): „Christus ist das Ende
und die Erfüllung aller Gebote denen, die an ihn glauben."

Zum siebenten. Drum sollte das mit Recht aller Christen einziges Werk und Übung sein, daß sie das Wort
und Christum sich recht einprägten, solchen Glauben
stetig übten und stärkten, denn kein ander Werk kann
einen Christen machen; wie Christus Joh. 6 (28 f.) zu
den Juden sagt, als sie ihn fragten, was sie für Werke
tun sollten, damit sie göttliche und christliche Werke
täten, sprach er: „Das ist das einzige göttliche Werk,
daß ihr glaubt an den, den Gott gesandt hat, welchen
Gott der Vater allein dazu verordnet hat." Darum ist's
ein gar überschwenglicher Reichtum, ein rechter Glaube
in Christo, denn er mit sich bringt alle Seligkeit und ab-
nimmt alle Unseligkeit, wie Markus am letzten (16, 16):
„Wer da glaubt und getauft ist, der wird selig. Wer
nicht glaubt, der wird verdammt." Darum der Prophet,
Jesaia 10 (22), den Reichtum desselben Glaubens ansah
und sprach: „Gott wird eine kurze Summa machen auf
Erden und die kurze Summa wird wie eine Sintflut

überströmen lassen die Gerechtigkeit[36]", das ist: der Glaube, darin kurz aller Gebote Erfüllung besteht, wird überreich rechtfertigen alle, die ihn haben, so daß sie nichts mehr bedürfen, um gerecht und fromm zu sein. So sagt Paulus Röm. 10 (10): „Daß man von Herzen glaubt, das macht einen gerecht und fromm."

Zum achten. Wie geht es aber zu, daß der Glaube allein kann fromm machen und ohne alle Werke so überschwenglich Reichtum geben, obgleich doch soviel Gesetze, Gebote, Werke, Stände und Weisen uns vorgeschrieben sind in der Schrift. Hier ist fleißig zu merken und stets mit Ernst festzuhalten, daß allein der Glaube ohn alle Werke fromm, frei und selig macht, wie wir hernach ausführlicher hören werden, und muß man wissen, daß die ganze Heilige Schrift wird in zweierlei Wort geteilt, die sind: Gebot oder Gesetz Gottes und Verheißung oder Zusagung. Die Gebote lehren und schreiben uns vor mancherlei gute Werke, aber damit sind sie noch nicht geschehen. Sie weisen wohl, sie helfen aber nicht, lehren, was man tun soll, geben aber keine Stärke dazu. Darum sind sie nur dazu bestimmt, daß der Mensch drin sehe sein Unvermögen zu dem Guten und lerne, an sich selbst verzweifeln, und darum heißen sie auch das Alte Testament und gehören alle ins Alte Testament. So beweist das Gebot: „Du sollst nicht böse Begierde haben", daß wir allesamt Sünder sind und kein Mensch vermag zu sein ohne böse Begierde, er tue, was er will. Daraus lernt er an sich selbst verzagen und anderswo Hilfe zu suchen, daß er ohne böse Begierde sei und so das Gebot erfülle durch einen anderen, was er aus sich selbst nicht vermag. So sind auch alle anderen Gebot uns unmöglich.

Zum neunten. Wenn nun der Mensch aus den Geboten sein Unvermögen gelernt und empfunden hat, daß ihm

36. Diese Verwendung von Jes. 10, 22 beruht auf einem Mißverständnis des Vulgatatextes durch L.

nun angst wird, wie er dem Gebot genug tue, sintemal das Gebot muß erfüllt werden oder er muß verdammt werden, so ist er recht gedemütigt und zunichte geworden in seinen Augen, findet nichts in sich, womit er könnte fromm werden — dann kommt das andere Wort, die göttliche Verheißung und Zusage, und spricht: willst du alle Gebote erfüllen, deine böse Begierde und Sünde los werden, wie die Gebote zwingen und fordern, siehe da, glaube an Christum, in welchem ich dir zusage alle Gnade, Gerechtigkeit, Friede und Freiheit. Glaubst du, so hast du, glaubst du nicht, so hast du nicht. Denn was dir unmöglich ist mit allen Werken der Gebote, deren viele und die doch ohne Nutzen sein müssen, das wird dir leicht und kurz gefaßt durch den Glauben zuteil. Denn ich habe einfach in den Glauben gestellt alle Dinge, daß, wer ihn hat, soll alle Dinge haben und selig sein, wer ihn nicht hat, soll nichts haben. So geben die Zusagen Gottes, was die Gebote erfordern, und vollbringen, was die Gebote heißen, auf daß es alles Gottes eigen sei, Gebot und Erfüllung, er heißet und er erfüllet auch allein. Darum sind die Zusagungen Gottes Wort des Neuen Testaments und gehören auch ins Neue Testament.

Zum zehnten. Nun sind diese und alle Worte Gottes heilig, wahrhaftig, gerecht, friedsam, frei und aller Güte voll; darum — wer ihnen mit einem rechten Glauben anhangt, des Seele wird mit ihm vereinigt so ganz und gar, daß alle Eigenschaften des Wortes auch zu eigen werden der Seelen und also durch den Glauben die Seele von dem Wort Gottes heilig, gerecht, wahrhaftig, friedsam, frei und aller Güte voll, ein wahrhaftiges Kind Gottes wird, wie Johannes 1 (12) sagt: „Er hat ihnen gegeben, daß sie können Gottes Kinder werden, alle, die in seinem Namen glauben."

Hieraus ist leichtlich zu merken, warum der Glaube so viel vermag und daß keine guten Werke ihm gleich sein können, denn kein gutes Werk hanget an dem göttlichen Wort wie der Glaube, kann auch nicht in der Seele sein, sondern allein das Wort und der Glaube regieren in der Seele. Wie das Wort ist, so wird auch die Seele durch ihn; gleichwie das Eisen wird glutrot wie das Feuer aus der Vereinigung mit dem Feuer. So sehen wir, daß an dem Glauben ein Christenmensch genug hat, bedarf keines Werks, damit er fromm sei; bedarf er denn keines Werks mehr, so ist er gewißlich entbunden von allen Geboten und Gesetzen; ist er entbunden, so ist er gewißlich frei. Das ist die christliche Freiheit, der bloße Glaube, der da macht, nicht daß wir müßig gehen oder übel tun können, sondern, daß wir keines Werks bedürfen, um Frommsein und Seligkeit zu erlangen. Davon wir mehr hernach sagen wollen.

Zum elften. Weiter steht es mit dem Glauben so, daß welcher dem anderen glaubt, der glaubt ihm darum, daß er ihn für einen frommen, wahrhaftigen Mann achtet, welches die größte Ehre ist, die ein Mensch dem andern tun kann, wie es wiederum die größte Schmach ist, wenn er ihn für einen losen, lügenhaften, leichtfertigen Mann achtet. So auch, wenn die Seele Gottes Wort festiglich glaubt, so hält sie ihn für wahrhaftig, fromm und gerecht, womit sie ihm tut die allergrößte Ehre, die sie ihm tun kann; denn da gibt sie ihm recht, da läßt sie ihm sein Recht, da ehret sie seinen Namen und läßt an sich handeln, wie er will, denn sie zweifelt nicht, er sei fromm, wahrhaftig in allen seinen Worten. Wiederum kann man Gott keine größere Unehre antun, als ihm nicht glauben, womit die Seele ihn für untüchtig, lügenhaft, leichtfertig hält, und soviel an ihr ist, ihn verleugnet mit solchem Unglauben und einen Abgott ihres eigenen Sinnes im Herzen wider Gott aufrichtet, als wollte sie es besser wissen denn er. Wenn dann Gott siehet, daß ihm die Seele Wahrheit gibt und so ehret durch ihren Glauben, so ehret er sie wiederum und hält sie auch für fromm und wahrhaftig, und sie ist auch fromm und wahrhaftig durch solchen Glauben. Denn daß man Gott die Wahrheit und das Frommsein zuerkennt, das ist gerecht und Wahrheit und macht gerecht und wahrhaftig, dieweil es wahr ist und gerecht, daß Gott die Wahrheit zuerkannt wird. Welches die nicht tun, die nicht glauben und doch sich mit vielen Werken zwingen und mühen.

Zum zwölften. Nicht allein gibt der Glaube soviel, daß die Seele, dem göttlichen Wort gleich, wird aller Gnaden voll, frei und selig, sondern vereinigt auch die Seele mit Christo wie eine Braut mit ihrem Bräutigam. Aus welcher Ehe folget, wie Sankt Paulus[37] sagt, daß Christus und die Seele ein Leib werden; ebenso werden auch beider Güter, Geschick und Mißgeschick und alle Dinge gemeinsam, so daß, was Christus hat, das ist der gläubigen Seele Eigentum, was die Seele hat, wird Eigentum Christi. Wie Christus hat alle Güter und Seligkeit — die sind der Seele Eigentum, so hat die Seele alle Untugend und Sünde auf sich, die werden Christi Eigentum. Hier hebt nun der fröhliche Wechsel und Streit an, dieweil Christus ist Gott und Mensch, welcher dennoch nie gesündigt hat und dessen Frommsein unüberwindlich, ewig und allmächtig ist; wie er denn der gläubigen Seele Sünde durch ihren Brautring, das ist den Glauben, sich selbst zu eigen macht und nicht anders tut, denn als hätt' er sie getan, so müssen die Sünden in ihm verschlungen und ersäuft werden. Denn seine unüberwindliche Gerechtigkeit ist allen Sünden zu stark. So wird die Seele von allen ihren Sünden bloß durch ihren Malschatz[38], das ist, des Glaubens halben, ledig und frei und begabt mit der ewigen Gerechtigkeit ihres Bräutigams Christus. Ist nun das nicht eine fröh-

37. Eph. 5, 30.
38. Gabe des Bräutigams an die Braut zur Dokumentation des Verlöbnisses.

liche Hochzeit, wo der reiche, edle, fromme Bräutigam Christus das arme, verachtete, böse Hürlein zur Ehe nimmt und sie entledigt von allem Übel, zieret mit allen Gütern. Nun ist's nicht möglich, daß die Sünden sie verdammen, denn sie liegen nun auf Christus und sind in ihm verschlungen; daher hat sie solch eine reiche Gerechtigkeit in ihrem Bräutigam, daß sie abermals wider alle Sünden bestehen kann, ob sie schon auf ihr lägen. Davon sagt Paulus I. Kor. 15 (57): „Gott sei Lob und Dank, der uns hat gegeben eine solche Überwindung in Christo Jesu, in welcher verschlungen ist der Tod mit der Sünde."

Zum dreizehnten. Hier siehst du aber, aus welchem Grunde dem Glauben mit Recht soviel zugeschrieben wird, daß er alle Gebote erfüllet und ohn alle anderen Werke fromm macht. Denn du siehest hier, daß er das erste Gebot erfüllet alleine, in dem geboten wird: „Du sollst *einen* Gott ehren." Wenn du nun eitel gut Werk wärest bis auf die Fersen, so wärest du dennoch nicht fromm und gäbest Gott noch keine Ehre, und somit erfülltest du das allererste Gebot nicht. Denn Gott kann nicht geehrt werden, ihm werde denn Wahrhaftigkeit und alles Gute zugeschrieben, wie er denn wahrhaftig ist. Das tun aber keine guten Werke, sondern allein der Glaube des Herzens. Darum ist er allein die Gerechtigkeit des Menschen und aller Gebote Erfüllung. Denn wer das erste Hauptgebot erfüllet, der erfüllet gewißlich und leichtlich auch alle anderen Gebote. Die Werke aber sind tote Dinge, können nicht ehren noch loben Gott, wiewohl sie können geschehen und sich tun lassen Gott zu Ehren und Lob. Aber wir suchen hier den, der nicht getan wird, wie die Werke, sondern den Selbsttäter und Werkmeister, der Gott ehret und die Werke tut. Das ist niemand denn der Glaub des Herzens, der ist das Haupt und ganze Wesen des Frommseins, darum ist es eine gefährliche, finstere Rede, wenn man lehret, die Gottesgebote mit Werken zu erfüllen, da die Erfüllung vor allen Werken durch den Glauben muß geschehen sein und die Werke nachfolgen der Erfüllung, wie wir hören werden.

Zum vierzehnten. Um weiter zu sehen, was wir in Christo haben und wie groß Gut sei ein rechter Glaube, ist zu wissen, daß vor und in dem Alten Testament Gott sich ausnahm und vorbehielt alle erste männliche Geburt von Menschen und von Tieren; und die erste Geburt war kostbar und hatte zwei große Vorteile vor allen anderen Kindern, nämlich die Herrschaft und Priesterschaft oder Königreich und Priestertum, so daß auf Erden das erste geborene Knäblein war ein Herr über alle seine Brüder und ein Pfaff oder Papst vor Gott. Durch welche Figur bedeutet ist Jesus Christus, der eigentlich dieselbe erste männliche Geburt ist Gottes des Vaters von der Jungfrauen Maria. Darum ist er ein König und Priester, doch geistlich, denn sein Reich ist nicht irdisch noch in irdischen, sondern in geistlichen Gütern, als da sind Wahrheit, Weisheit, Friede, Freude, Seligkeit usw. Damit ist aber nicht ausgenommen zeitlich Gut, denn es sind ihm alle Ding unterworfen, im Himmel, Erde und Hölle, wiewohl man ihn nicht sieht, das macht, weil er geistlich, unsichtbar regiert.

So besteht auch sein Priestertum nicht in den äußerlichen Gebärden und Kleidern, wie wir bei den Menschen sehen, sondern es besteht im Geist unsichtbar, so daß er vor Gottes Augen ohn Unterlaß für die Seinen steht und sich selbst opfert und alles tut, was ein frommer Priester tun soll. Er bittet für uns, wie Sankt Paul Röm. 8 (34) sagt. So lehret er uns inwendig im Herzen, welches die beiden eigentlichen rechten Ämter eines Priesters sind. Denn ebenso bitten und lehren auch äußerliche, menschliche, zeitliche Priester.

Zum fünfzehnten. Wie nun Christus die Erstgeburt innehat mit ihrer Ehre und Würdigkeit, so teilet er sie

134

mit allen seinen Christen, daß sie durch den Glauben müssen auch alle Könige und Priester sein mit Christo, wie Sankt Petrus sagt I. Petr. 2 (9): „Ihr seid ein priesterlich Königreich und ein königlich Priestertum." Und das geht so zu, daß ein Christenmensch durch den Glauben so hoch erhoben wird über alle Ding, daß er aller ein Herr wird geistlich; denn es kann ihm kein Ding schaden an der Seligkeit, ja, es muß ihm alles untertan sein und helfen zur Seligkeit; wie Sankt Paulus lehret Röm. 8 (28): „Alle Dinge müssen helfen den Auserwählten zu ihrem Besten, es sei leben, sterben, Sünde, Frommsein, Gut und Böses, wie man es nennen mag." Item I. Kor. 3 (21 f.): „Alle Dinge sind euer, es sei das Leben oder der Tod, Gegenwärtiges oder Zukünftiges usw." Nicht, daß wir aller Ding leiblich mächtig wären, sie zu besitzen oder zu brauchen wie die Menschen auf Erden; denn wir müssen sterben leiblich und kann niemand dem Tod entfliehen; ebenso müssen wir auch vielen anderen Dingen unterliegen, wie wir in Christo und seinen Heiligen sehen. Denn dies ist eine geistliche Herrschaft, die da regiert in der leiblichen Unterdrückung, das ist: ich kann mich ohn alle Dinge bessern nach der Seele, so daß auch der Tod und Leiden müssen mir dienen und nützlich sein zur Seligkeit. Das ist eine gar hohe, ehrenvolle Würdigkeit und eine wirklich allmächtige Herrschaft, ein geistliches Königreich, da kein Ding ist so gut, so böse, es muß mir dienen zu gut, wenn ich glaube, und bedarf sein doch nicht, sondern mein Glaube ist mir genugsam. Siehe, wie ist das eine köstliche Freiheit und Gewalt der Christen.

Zum sechzehnten. Überdies sind wir Priester, das ist noch viel mehr denn König sein; darum, daß das Priestertum uns würdig macht, vor Gott zu treten und für andere zu bitten. Denn vor Gottes Augen zu stehen und zu bitten, gebührt niemand denn den Priestern. So hat Christus für uns erwirkt, daß wir können geistlich vor den andern treten und bitten, wie ein Priester vor das Volk leiblich tritt und bittet. Wer aber nicht glaubt an Christum, dem dienet kein Ding zu gut, ist ein Knecht aller Ding, muß sich aller Dinge ärgern. Dazu ist sein Gebet nicht angenehm, kommt auch nicht vor Gottes Augen. Wer kann nun ausdenken die Ehre und Höhe eines Christenmenschen? Durch sein Königreich ist er aller Dinge mächtig, durch sein Priestertum ist er Gottes mächtig, denn Gott tut, was er bittet und will, wie da steht geschrieben im Psalter (145, 19): „Gott tut den Willen derer, die ihn fürchten, und erhöret ihr Gebet" — zu welchen Ehren er nur allein durch den Glauben und durch kein Werk kommt. Daraus man klar siehet, wie ein Christenmensch frei ist von allen Dingen und über alle Dinge, so, daß er keiner guten Werke dazu bedarf, daß er fromm und selig sei, sondern der Glaube bringt's ihm alles überreichlich. Und wo er so töricht wäre und meinte, durch ein gut Werk fromm, frei, selig oder ein Christ zu werden, so verlöre er den Glauben mit allen Dingen, gleichwie der Hund, der ein Stück Fleisch im Mund trug und nach dem Schemen im Wasser schnappte, damit Fleisch und Schemen verlor.

Zum siebzehnten fragst du: Was ist denn für ein Unterschied zwischen den Priestern und Laien in der Christenheit, wenn sie alle Priester sind? Antwort: Es ist dem Wörtlein „Priester", „Pfaff", „geistlich" und desgleichen Unrecht geschehen, daß sie von dem gemeinen Haufen übertragen worden sind auf den kleinen Haufen, den man jetzt nennet geistlichen Stand. Die Heilige Schrift gibt keinen anderen Unterschied, denn daß sie die gelehreten oder geweiheten nennet minístros, sérvos, oeconómos, das ist: Diener, Knecht, Schaffner[39], die da sollen den anderen Christum, Glauben und christliche Freiheit predigen. Denn obwohl wir alle gleich Priester sind, so könnten wir doch nicht alle dienen oder schaffen

39. Verwalter.

136

und predigen. So sagt Sankt Paulus I. Kor. 4 (1): „Wir wollen für nichts mehr von den Leuten gehalten sein denn Christus' Diener und Schaffner des Evangelii." Aber nun ist aus der Schaffnerei geworden ein solch weltliche, äußerliche, prächtige, furchtbare Herrschaft und Gewalt, daß ihr die wirkliche weltliche Macht in nichts gleichen kann, gerade als wären die Laien etwas anderes denn Christenleute. Damit ist hinweggenommen das ganze Verständnis christlicher Gnade, Freiheit, Glaubens und alles dessen, was wir von Christo haben, und Christus selbst; haben dafür überkommen viel Menschengesetz und -werk, sind ganz Knechte geworden der alleruntüchtigsten Leute auf Erden.

Zum achtzehnten. Aus dem allen lernen wir, daß es nicht genug sei gepredigt, wenn man Christus' Leben und Werk obenhin und nur als eine Historie und Chronikengeschichte predigt, geschweige denn, wenn man seiner gänzlich schweigt und das geistliche Recht oder andere Menschengesetze und -lehre predigt. Ihrer sind auch viel, die Christum so predigen und lesen, daß sie ein Mitleiden mit ihm haben, mit den Juden zürnen oder sonst noch mehr kindische Weise drin üben. Aber er soll und muß so gepredigt sein, daß mir und dir der Glaube draus erwachse und erhalten werde. Welcher Glaube dadurch erwächst und erhalten wird, wenn mir gesagt wird, warum Christus gekommen sei, wie man sein brauchen und nießen soll, was er mir gebracht und gegeben hat; das geschieht, wenn man recht auslegt die christliche Freiheit, die wir von ihm haben, und wie wir Könige und Priester sind, aller Dinge mächtig; und daß alles, was wir tun, vor Gottes Augen angenehm und erhöret sei, wie ich bisher gesagt habe. Denn wo ein Herz so Christum höret, das muß fröhlich werden von ganzem Grund, Trost empfangen und Süßigkeit darin empfinden, Christus wiederum liebzuhaben. Dahin kann es nimmermehr mit Gesetzen oder Werken kommen. Denn wer will einem solchen Herzen Schaden tun oder es erschrekken? Fällt die Sünde und der Tod dahin, so glaubt es, Christus' Frommsein sei sein, und seine Sünden seien nimmer sein, sondern Christi, so muß die Sünde verschwinden vor Christus' Frommsein in dem Glauben, wie droben gesagt ist, und (das Herz) lernet mit dem Apostel dem Tod und der Sünde Trotz bieten und sagen: „Wo ist nun, du Tod, dein Sieg? Wo ist nun Tod, dein Spieß? Dein Spieß ist die Sünde. Aber Gott sei Lob und Dank, der uns hat gegeben den Sieg durch Jesum Christum unsern Herrn. Und der Tod ist ersäuft in seinem Sieg usw.[40]

Zum neunzehnten. Das sei nun genug gesagt von dem innerlichen Menschen, von seiner Freiheit und der Hauptgerechtigkeit, welche keines Gesetzes noch guten Werkes bedarf, ja ihr schädlich ist, so jemand dadurch wollte gerechtfertigt zu werden sich vermessen. Nun kommen wir zum *andern Teil,* auf den *äußerlichen Menschen.* Hier wollen wir antworten allen denen, die sich ärgern an den vorigen Reden und pflegen zu sprechen: Ei, wenn denn der Glaube alles ist und gilt allein für genug, fromm zu machen, warum sind denn die guten Werke geboten? So wollen wir guter Dinge sein und nichts tun. Nein, lieber Mensch, nicht so! Es wäre wohl so, wenn du ein nur innerlicher Mensch wärest und ganz geistlich und innerlich geworden, was nicht geschieht bis an den Jüngsten Tag. Es ist und bleibt auf Erden nur ein Anheben und Zunehmen, welches in jener Welt vollendet wird. Daher heißet's der Apostel primítias spiritus, das sind die ersten Früchte des Geistes. Drum gehört hierher, was droben gesagt ist: Ein Christenmensch ist ein dienstbarer Knecht und jedermann untertan: insofern er frei ist, braucht er nichts zu tun, insofern er Knecht ist, muß er alles tun. Wie das zugehe, wollen wir sehen.

40. I. Kor. 15, 55 ff.

Zum zwanzigsten. Obwohl der Mensch inwendig, nach der Seele, durch den Glauben genugsam gerechtfertigt ist und alles hat, was er haben soll, ohne daß derselbe Glaube und Genüge muß immer zunehmen bis in jenes Leben, so bleibt er doch noch in diesem leiblichen Leben auf Erden und muß seinen eigenen Leib regieren und mit Leuten umgehen. Da heben nun die Werke an, hier darf er nicht müßig gehen, da muß fürwahr der Leib mit Fasten, Wachen, Arbeiten und mit aller mäßiger Zucht getrieben und geübt werden, daß er dem inneren Menschen in dem Glauben gehorsam und gleichförmig werde, ihn nicht hindere noch widerstrebe, wie seine Art ist, wenn er nicht gezwungen wird; denn der innere Mensch ist mit Gott eins, fröhlich und lustig um Christus' willen, der ihm soviel getan hat, und steht alle seine Lust darin, daß er wiederum möchte Gott auch umsonst dienen in freier Liebe. Da findet er in seinem Fleisch einen widerspenstigen Willen, der will der Welt dienen und suchen, was ihn gelüstet. Das kann der Glaube nicht leiden und hängt sich mit Lust an seinen Hals, ihn zu dämpfen und ihm zu wehren, wie Sankt Paul sagt Röm. 7 (22 f.): „Ich habe Lust an Gottes Willen nach meinem inneren Menschen. Aber ich finde einen anderen Willen in meinem Fleisch, der will mich mit Sünden gefangennehmen." Item: „Ich züchtige meinen Leib und treib ihn zum Gehorsam, auf daß ich nicht selbst verwerflich werde, der ich die anderen lehren soll[41]." Item Gal. 5 (24): „Alle, die Christum angehören, kreuzigen ihr Fleisch mit seinen bösen Lüsten."

Zum einundzwanzigsten. Aber dieselben Werke dürfen nicht geschehen in der Meinung, daß dadurch der Mensch fromm werde vor Gott. Denn diese falsche Meinung kann der Glaube nicht dulden, der allein das Frommsein vor Gott ist und sein muß, sondern nur in

41. I. Kor. 9, 27.

der Meinung, daß der Leib gehorsam werde und gereinigt von seinen bösen Lüsten und das Auge nur sehe auf die bösen Lüste, sie auszutreiben. Denn dieweil die Seele durch den Glauben rein ist und Gott liebet, will sie gern, daß auch ebenso alle Dinge rein wären, zuvor ihr eigener Leib, und jedermann Gott mit ihr liebt und lobt. So geschieht's, daß der Mensch seines eigenen Leibes halben nicht kann müßig gehen und muß viel gute Werke darum üben, daß er ihn zwinge; und dennoch sind die Werke nicht das rechte Gut, davon er fromm und gerecht ist vor Gott, sondern tue sie aus freier Liebe umsonst, Gott zu gefallen, wobei er nichts anderes darin sucht noch sieht, denn daß es Gott so gefällt, welches Willen er gern täte auf's allerbeste. Woraus denn ein jeglicher kann selbst entnehmen das vernünftige Maß für die Kasteiung des Leibes; denn er fastet, wachet, arbeitet, soviel er sieht, daß dem Leib not ist, seinen Mutwillen zu dämpfen. Die andern aber, die da meinen, mit Werken fromm zu werden, haben kein Acht auf die Kasteiung, sondern sehen nur auf die Werke und meinen, wenn sie derselben nur viele und große tun, so sei es wohlgetan und sie würden fromm. Zuweilen zerbrechen sie sich die Köpfe und verderben ihre Leiber darüber; das ist eine große Torheit und ein Unverständnis christlichen Lebens und Glaubens, daß sie ohne Glauben nur durch Werke fromm und selig werden wollen.

Zum zweiundzwanzigsten. Um dafür etliche Gleichnisse zu geben: Man soll die Werke eines Christenmenschen, der durch seinen Glauben und aus lauter Gnade Gottes umsonst ist gerechtfertigt und selig geworden, für nichts anders erachten denn wie die Werke Adams und Evas im Paradiese gewesen sind. Davon I. Mose 2 (15) steht geschrieben, daß Gott den geschaffenen Menschen setzt ins Paradies, daß er dasselbe bearbeiten und hüten sollte.

Nun war Adam von Gott fromm und wohl geschaffen, ohne Sünde, so daß er durch sein Arbeiten und Hüten nicht fromm und gerechtfertigt zu werden brauchte. Doch, auf daß er nicht müßig ginge, gab Gott ihm zu schaffen, das Paradies zu pflanzen, bauen und bewahren. Welches wären eitel freie Werke gewesen, um keines Dinges willen getan, denn allein Gott zu gefallen, und nicht um Frommsein zu erlangen, was er zuvor hatte, welches uns auch allen von Natur wäre angeboren gewesen. So auch eines gläubigen Menschen Werk, welcher durch seinen Glauben ist wiederum ins Paradies gesetzt und von neuem geschaffen, bedarf keiner Werke, fromm zu werden, sondern auf daß er nicht müßig gehe und seinen Leib arbeiten lasse und bewahre, sind ihm solche freie Werke, allein Gott zu gefallen, befohlen.

Item: gleich wie ein geweiheter Bischof: wenn der Kirchen weihet, firmelt oder sonst seines Amtes Werk übet, so machen ihn dieselben Werke nicht zu einem Bischof. Ja, wenn er nicht zuvor zum Bischof geweiht wäre, so taugte derselben Werke keines und wäre eitel Narrenwerk. So wird ein Christ, der durch den Glauben geweiht ist und gute Werke tut, durch dieselben nicht besser oder mehr geweiht (welches nur des Glaubens Mehrung tut) zu einem Christen. Ja, wenn er nicht zuvor glaubte und ein Christ wäre, so gälten alle seine Werke nichts, sondern wären eitel närrische, sträfliche, verdammliche Sünden.

Zum dreiundzwanzigsten. Darum sind die zwei Sprüche wahr: Gute fromme Werke machen nimmermehr einen guten frommen Mann, sondern ein guter frommer Mann macht gute fromme Werke. Böse Werke machen nimmermehr einen bösen Mann, sondern ein böser Mann macht böse Werke. So daß allewege die Person muß zuvor gut und fromm sein vor allen guten Werken, und gute Werke folgen und ausgehen von der frommen guten Person. Gleichwie Christus sagt: „Ein böser Baum trägt keine gute Frucht. Ein guter Baum trägt keine böse Frucht[42]."

Nun ist's offenbar, daß die Früchte nicht tragen den Baum, ebenso wachsen auch die Bäume nicht auf den Früchten, sondern im Gegenteil: die Bäume tragen die Früchte und die Früchte wachsen auf den Bäumen. Wie nun die Bäume müssen eher sein denn die Früchte und die Früchte die Bäume weder gut noch böse machen, sondern die Bäume machen die Früchte, so muß der Mensch in der Person zuvor fromm oder böse sein, ehe er gute oder böse Werke tut. Und seine Werke machen ihn nicht gut oder böse, sondern er macht gute oder böse Werke. — Dergleichen sehen wir in allen Handwerken: Ein gutes oder böses Haus macht keinen guten oder bösen Zimmermann, sondern ein guter oder böser Zimmermann macht ein böses oder gutes Haus. Kein Werk macht einen Meister, je nachdem das Werk ist, sondern wie der Meister ist, danach ist sein Werk auch. So sind die Werke des Menschen auch: wie es mit ihm steht im Glauben oder Unglauben, danach sind seine Werke gut oder böse. Und wiederum nicht: wie es mit seinen Werken steht, dementsprechend ist er fromm oder gläubig. Die Werke, gleichwie sie nicht gläubig machen, so machen sie auch nicht fromm.

Aber gleichwie der Glaube fromm macht, so macht er auch gute Werke. So denn die Werke niemand fromm machen und der Mensch zuvor muß fromm sein, ehe er wirkt, so ist's offenbar, daß allein der Glaube aus lauter Gnaden durch Christus und sein Wort die Person genugsam fromm und selig machet und daß kein Werk, kein Gebot einem Christen nötig sei zur Seligkeit, sondern er frei ist von allen Geboten und aus lauterer Freiheit umsonst tut alles, was er tut, nichts an Nutzen oder Seligkeit damit suchend, da er schon satt und selig ist durch

42. Matth. 7, 18.

seinen Glauben und Gottes Gnaden, sondern nur Gott darin zu gefallen.

Zum vierundzwanzigsten. Dagegen ist dem, der ohne Glauben ist, kein Werk förderlich zum Frommsein und zur Seligkeit. Wiederum machen ihn keine bösen Werke böse und verdammt, sondern der Unglaube, der die Person und den Baum böse macht, der tut böse und verdammte Werke. Darum, wenn man fromm oder böse wird, hebt es nicht bei den Werken an, sondern an dem Glauben, wie der weise Mann sagt: „Anfang aller Sünde ist, von Gott weichen und ihm nicht trauen[43]." Also lehrt auch Christus, wie man nicht an den Werken darf anheben, und sagt: Entweder macht den Baum gut und seine Früchte gut, oder macht den Baum böse und seine Früchte böse — als würde er sagen: wer gute Früchte haben will, muß zuvor an dem Baum anheben und denselben gut setzen. Ebenso wer da will gute Werke tun, darf nicht bei den Werken anheben, sondern bei der Person, die die Werke tun soll. Die Person aber macht niemand gut denn allein der Glaube und niemand macht sie böse denn allein der Unglaube. Das ist freilich wahr: die Werke machen einen fromm oder böse vor den Menschen, das ist, sie zeigen äußerlich an, wer fromm oder böse sei, wie Christus sagt Matth. 7 (20): „Aus ihren Früchten sollt ihr sie erkennen." Aber das ist alles im Schein und äußerlich. Welches Ansehen irre macht viele Leute, die da schreiben und lehren, wie man gute Werke tun soll und fromm werden, obgleich sie doch des Glaubens nimmer gedenken, gehn dahin, und es führet immer ein Blinder den anderen, martern sich mit vielen Werken und kommen doch nimmer zu dem rechten Frommsein, von welchen Sankt Paulus sagt II. Tim. 3 (5 ff.): „Sie haben einen Schein des Frommseins, aber der Grund ist nicht da, gehen hin und lernen immer und immer, und kommen doch nimmer zur Erkenntnis des

43. Sir. 10, 14f.

wahren Frommseins." Wer nun mit diesen Blinden nicht will irren, muß weiter sehen als auf die Werke, Gebote oder Lehre der Werke. Er muß auf die Person sehen vor allen Dingen, wie die fromm werde. Die wird aber nicht durch Gebote und Werke, sondern durch Gottes Wort (das ist durch seine Verheißung der Gnaden) und den Glauben fromm und selig, auf daß bestehe seine göttliche Ehre, daß er uns nicht durch unser Werk, sondern durch sein gnädiges Wort umsonst und durch lautere Barmherzigkeit selig mache.

Zum fünfundzwanzigsten. Aus diesem allen ist leichtlich zu verstehen, wie gute Werke zu verwerfen und nicht zu verwerfen sind, und wie man alle Lehren verstehen soll, die da gute Werke lehren, denn wo der falsche Zusatz und die verkehrte Meinung drin ist, daß durch die Werke wir fromm und selig werden wollen, sind sie schon nicht gut und ganz verdammlich; denn sie sind nicht frei und schmähen die Gnade Gottes, die allein durch den Glauben fromm und selig macht, welches die Werke nicht vermögen und sich doch vornehmen zu tun und greifen damit der Gnade an ihr Werk und Ehre. Drum verwerfen wir die guten Werke nicht um ihrer selbst willen, sondern um des bösen Zusatzes und falscher verkehrter Meinung willen, welche macht, daß sie nur gut scheinen und sind doch nicht gut, betrügen sich und jedermann damit, gleichwie die reißenden Wölfe in Schafskleidern.

Aber derselbe böse Zusatz und verkehrte Absicht in den Werken ist unüberwindlich, wo der Glaube nicht ist. Er muß sein in demselben Werkheiligen, bis der Glaube komme und zerstöre ihn; die Natur vermag ihn von sich selbst aus nicht auszutreiben, ja, auch nicht zu erkennen, sondern sie hält ihn für köstlich, selig Ding; drum werden ihrer auch so viele dadurch verführt.

Derhalben, obwohl es gut ist, von Reue, Beichten, Genugtun zu schreiben und zu predigen, wenn man aber nicht weiter fortfährt bis zum Glauben, sind es gewißlich eitel teuflische, verführerische Lehren. Man darf nicht einerlei allein predigen, sondern alle beiden Worte Gottes. Die Gebote soll man predigen, die Sünder zu erschrecken und ihre Sünde zu offenbaren, damit sie Reue haben und sich bekehren. Aber dabei soll es nicht bleiben, man muß das andere Wort, die Zusagung der Gnaden auch predigen, den Glauben zu lehren, ohne welchen die Gebote, Reue und alles andere vergeblich geschieht. Es sind wohl noch geblieben Prediger, die Reue über die Sünde und Gnade predigen, aber sie streichen die Gebote und die Zusagung Gottes nicht heraus, daß man lerne, woher und wie die Reue und Gnade komme. Denn die Reue fließt aus den Geboten, der Glaube aus den Zusagungen Gottes, und so wird der Mensch durch den Glauben an die göttlichen Worte gerechtfertigt und erhoben, der durch die Furcht vor Gottes Gebot gedemütigt und zur Selbsterkenntnis gekommen ist.

Zum sechsundzwanzigsten. Das sei von den guten Werken gesagt insgemein und die ein Mensch gegen seinen eigenen Leib üben soll. Nun wollen wir vor mehr Werken reden, die er gegen andere Menschen tut. Denn der Mensch lebt nicht allein in seinem Leibe, sondern auch unter anderen Menschen auf Erden. Darum kann er nicht ohne Werke sein gegen dieselben, er muß immer mit ihnen zu reden und zu schaffen haben, wiewohl ihm derselben Werke keines not ist zum Frommsein und zur Seligkeit. Drum soll seine Meinung in allen Werken frei und nur dahin gerichtet sein, daß er andern Leuten damit diene und nütze sei, nichts anderes sich vorstelle, denn was den anderen not ist. Das heißt denn ein wahrhaftiges Christenleben, und da geht der Glaube mit Lust und Liebe ans Werk, wie Sankt Paulus lehret die Galater[44].

44. Gal. 5, 6.

Denn nachdem er die Philipper[45] gelehrt hatte, wie sie alle Gnade und Genüge hätten durch ihren Glauben an Christus, lehret er sie weiter und sagt: „Ich vermahne euch bei allem Trost, den ihr in Christo habt, und bei allem Trost, den ihr habt von unserer Liebe zu euch und aller Gemeinschaft, die ihr habt mit allen geistlichen, frommen Christen, wollet mein Herz erfreuen vollkommen und das damit, daß ihr hinfort wollet eines Sinnes sein, einer gegen den anderen Lieb erzeigen, einer dem anderen dienen und ein jeglicher acht haben nicht auf sich noch auf das seine, sondern auf den anderen und was demselben nötig sei." Siehe, da hat Paulus klärlich ein christlich Leben dahingestellt, daß alle Werke sollen ausgerichtet sein dem Nächsten zugut, dieweil ein jeglicher für sich selbst genug hat an seinem Glauben und alles andere Werk und Leben ihm übrig sind, seinem Nächsten damit aus freier Lieb zu dienen. Dazu führet er ein Christus als ein Exempel und sagt: „Seid also gesinnet, wie ihr's seht in Christo, welcher, ob er wohl voll göttlicher Form war und für sich selbst genug hatte und ihm sein Leben, Wirken und Leiden nicht nötig war, auf daß er damit fromm oder selig würde, dennoch hat er sich des alles entäußert und sich gebärdet wie ein Knecht, alles getan und gelitten, nichts angesehen denn unser Bestes und ist so, obwohl er frei war, dennoch um unsertwillen ein Knecht geworden."

Zum siebenundzwanzigsten. So soll ein Christenmensch wie Christus sein Haupt sich voll und satt genügen lassen an seinem Glauben, denselben immer mehren, welcher sein Leben, Frommsein und Seligkeit ist, der ihm gibt alles, was Christus und Gott hat, wie droben gesagt ist. Und St. Paul Gal. 2 (20) spricht: „Was ich noch in dem Körper lebe, das lebe ich in dem Glauben an Christus, Gottes Sohn." Und obgleich er nun ganz frei ist, soll er sich wiederum willig-

45. Phil. 2, 1ff.

lich zu einem Diener machen, seinem Nächsten zu helfen, mit ihm verfahren und handeln wie Gott mit ihm durch Christus gehandelt hat, und das alles umsonst, nichts darin suchen denn göttliches Wohlgefallen und so denken: Wohlan, mein Gott hat mir unwürdigem, verdammtem Menschen ohn alle Verdienste rein umsonst und aus eitel Barmherzigkeit gegeben durch und in Christo vollen Reichtum allen Frommseins und Seligkeit, so daß ich hinfort nichts mehr bedarf denn glauben, es sei also. Ei, so will ich solchem Vater, der mich mit seinen überschwenglichen Gütern so überschüttet hat, wiederum frei, fröhlich und umsonst tun, was ihm wohlgefällt, und gegen meinen Nächsten auch werden ein Christ, wie Christus mir geworden ist und nichts mehr tun, denn was ich nur sehe, daß ihm not, nützlich und seliglich sei, dieweil ich doch durch meinen Glauben alles Dinges in Christo genug habe. Sieh, so fließet aus dem Glauben die Liebe und Lust zu Gott und aus der Liebe ein frei, willig, fröhlich Leben, dem Nächsten zu dienen umsonst. Denn gleichwie unser Nächster Not leidet und unseres Übrigen bedarf, so haben wir vor Gott Not gelitten und seiner Gnaden bedurft. Darum, wie uns Gott hat durch Christum umsonst geholfen, so sollen wir durch den Leib und seine Werke nichts anderes, denn dem Nächsten helfen. So sehen wir, wie es ein hohes, edles Leben sei um ein christlich Leben, das leider nun in aller Welt nicht allein darniederliegt, sondern auch nicht mehr bekannt ist, noch gepredigt wird.

Zum achtundzwanzigsten. So lesen wir Lukae 2 (22 ff.), daß die Jungfrau Maria zur Kirchen ging nach den sechs Wochen und ließ sich reinigen nach dem Gesetz wie alle anderen Weiber, obgleich sie doch nicht gleich ihnen unrein war, noch schuldig derselben Reinigung, bedurfte ihrer auch nicht. Aber sie tat's aus freier Liebe, daß sie die anderen Weiber nicht verachtete, sondern mit dem Haufen bliebe. Ebenso ließ Sankt

Paul Sankt Timotheum beschneiden[46], nicht daß es not wäre, sondern damit er den schwachgläubigen Juden nicht Ursache gebe zu bösen Gedanken, der doch wiederum Titum nicht wollte lassen beschneiden, als man drauf dringen wollte, er müßte beschnitten sein und dies wäre not zur Seligkeit[47]. Und Christus Matth. 17 (24 ff.), als von seinen Jüngern ward der Zinspfennig gefordert, disputiert er mit Sankt Peter, ob nicht Königskinder davon frei wären, Zins zu geben, und obgleich Sankt Peter „Ja" sagt, hieß er ihn doch hingehen an das Meer und sprach: „Auf daß wir sie nicht ärgern, so geh hin; den ersten Fisch, den du fängst, den nimm und in seinem Maul wirst du finden einen Pfennig, den gib für mich und dich." Das ist ein fein Exempel zu dieser Lehre, wo Christus sich und die Seinen freie Königskinder nennt, die keines Dings bedürfen, und dennoch sich willig unterwirft, dienet und gibt den Zins. Ebensowenig wie nun dies Werk Christo not war und gedient hat zu seinem Frommsein oder Seligkeit, so wenig sind alle seine anderen und seiner Christen Werke ihnen not zur Seligkeit, sondern sie sind alles freie Dienste zu Willen und Besserung der andern. So sollten auch aller Priester, Klöster und Stifte Werke beschaffen sein, daß ein jeglicher seines Standes und Ordens Werk allein darum täte, den anderen zu willfahren und seinen Leib zu regieren, den anderen Exempel zu geben, auch so zu tun, als die auch ihre Leiber zwingen sollten; doch soll man sich allzeit vorsehen, daß man nicht wähne, dadurch fromm und selig zu werden, welches allein der Glaube wirken kann. Auf diese Weise gebietet auch Sankt Paul Röm. 13 (1 ff.) und Tit. 3 (1), daß sie sollen weltlicher Gewalt untertan und bereit sein, nicht daß sie dadurch fromm werden sollen, sondern daß sie den anderen und der Obrigkeit dadurch frei dieneten und ihren Willen täten aus Liebe und Freiheit. Wer nun

46. Apg. 16, 3.　　　47. Gal. 2, 3.

diese Einsicht hätte, der könnte leichtlich sich zurechtfinden in den unzähligen Geboten und Gesetzen des Papstes, der Bischöfe, der Klöster, der Stifte, der Fürsten und Herren, die etliche tolle Prälaten so betreiben, als wären sie not zur Seligkeit und nennen es Gebote der Kirche, wiewohl zu Unrecht. Denn ein freier Christ spricht so: Ich will fasten, beten, dies und das tun, was geboten ist, nicht, daß ich dessen bedürfte oder dadurch wollte fromm oder selig werden, sondern ich will's dem Papst, Bischof, der Gemeinde oder meinem Mitbruder, Herrn zu willen, Exempel und Dienst tun und leiden, gleich wie mir Christus viel größere Dinge zu willen getan und gelitten hat, was ihm viel weniger not war. Und obschon die Tyrannen unrecht tun, solches zu fordern, so schadet's mir doch nicht, solange es nicht wider Gott ist.

Zum neunundzwanzigsten. Hieraus kann ein jeglicher ein gewiß Urteil und Unterscheidung unter allen Werken und Geboten entnehmen, auch, welches blinde, tolle oder rechtsinnige Prälaten sind. Denn welches Werk nicht dahin ausgerichtet ist, dem anderen zu dienen oder seinen Willen zu erleiden, sofern er nicht zwingt, wider Gott zu handeln, das ist kein gutes, christliches Werk. Daher kommt's, daß ich Sorge habe, wenige Stifte, Kirchen, Klöster, Altäre, Messen, Testamente seien christlich, dazu auch die Fasten und Gebete, etlichen Heiligen besonders dargebracht. Denn ich fürchte, daß in dem allen ein jeglicher nur das Seine sucht, vermeinend, damit sein Sünd zu büßen und selig zu werden. Welches alles kommt aus Unkenntnis des Glaubens und der christlichen Freiheit. Und etliche blinde Prälaten treiben die Leute dahin und preisen solch Wesen, schmücken es mit Ablaß und lehren den Glauben nimmermehr. Ich rate dir aber, willst du etwas stiften, beten, fasten, so tu es nicht in der Meinung, daß du wollest dir etwas Gutes tun, sondern gib's dahin frei, daß andere Leute desselben genießen können, und tu es ihnen zu gut, so bist du ein rechter Christ. Was willst du mit einem Überfluß an Gütern und guten Werken, um damit deinen Leib zu regieren und zu versorgen, da du doch genug hast am Glauben, darin dir Gott alle Dinge gegeben hat? Siehe, so müssen Gottes Güter fließen aus einem in den anderen und gemeinsam werden, daß ein jeglicher sich seines Nächsten so annehme, als wäre er's selbst. Aus Christo fließen sie in uns, der sich unser hat angenommen in seinem Leben, als wäre er das gewesen, was wir sind. Aus uns sollen sie fließen in die, so ihrer bedürfen. Und zwar so sehr, daß ich muß auch meinen Glauben und Gerechtigkeit für meinen Nächsten vor Gott hingeben, seine Sünden zu decken auf mich nehmen und nicht anders tun, denn als wären sie mein eigen, eben wie Christus uns allen getan hat. Sieh, das ist die Natur der Liebe, wo sie wahrhaftig ist. Da ist sie aber wahrhaftig, wo der Glaube wahrhaftig ist. Darum gibt der heilige Apostel der Liebe zu eigen, I. Kor. 13 (5), daß sie nicht sucht das Ihre, sondern, was des Nächsten ist.

Zum dreißigsten. Aus dem allen folget der Beschluß, daß ein Christenmensch lebt nicht in sich selbst, sondern in Christo und seinem Nächsten, in Christo durch den Glauben, im Nächsten durch die Liebe. Durch den Glauben fähret er über sich in Gott, aus Gott fähret er wieder unter sich durch die Liebe und bleibt doch immer in Gott und göttlicher Liebe, gleichwie Christus sagt Johann. 1 (51): „Ihr werdet noch sehen den Himmel offenstehen und die Engel auf- und absteigen über den Sohn des Menschen."

Siehe, das ist die rechte, geistliche, christliche Freiheit, die das Herz frei macht von allen Sünden, Gesetzen und Geboten, welche alle andere Freiheit übertrifft, wie der Himmel die Erde.

Welche Gott uns gebe recht zu verstehen und behalten.

AMEN.

SENDBRIEF VOM DOLMETSCHEN
1530

Wenzeslaus Link[1] *allen Christgläubigen* Gottes Gnad und Barmherzigkeit. Der weise Salomo spricht Prov. 11 (26): „Wer Korn einbehält, dem fluchen die Leute. Aber Segen kommt über den, so es verkauft." Welcher Spruch eigentlich zu verstehen ist von allem, das zu gemeinem Nutze oder Troste der Christenheit dienen kann. Darum schilt auch der Herr im Evangelio den untreuen Knecht einen faulen Schalk, daß er sein Geld in die Erden vergraben und verborgen hatte[2]. Solchen Fluch des Herrn und der ganzen Gemeinde zu vermeiden, hab ich diesen Sendbrief, der mir durch einen guten Freund zuhanden gekommen, nicht zurückhalten können, sondern öffentlich in Druck gegeben. Denn dieweil der Verdolmetschung halben Alten und Neuen Testaments wegen viel Gerede sich zugetragen, daß nämlich die Feinde der Wahrheit vorgeben, als wäre der Text an vielen Orten geändert oder auch verfälschet, wodurch über viele einfältige Christen, auch unter den Gelehrten, so der hebräischen und griechischen Sprache nicht kundig, Entsetzen und Scheu gekommen, so ist wohl zu hoffen, daß aufs mindste zum Teil hiermit den Gottlosen ihr Lästern verhindert werde und den Frommen ihr Skrupel genommen werde, es vielleicht

1. An diesen alten Freund und ehemaligen Ordensgenossen, damals Prediger in Nürnberg, sandte L. aus seiner Einsamkeit (ex eremo), der Veste Coburg (s. S. 8), den *„Sendbrief"*, damit er ihn drucken lasse. Ob ihm ausdrückliche Fragen eines freilich Unbekannten zugrunde liegen oder dieser nur angenommen ist, kann mit Sicherheit nicht ermittelt werden.
2. Matth. 25, 26ff.

auch dahin kommt, daß mehr über diese Frage oder Materie geschrieben werde. Bitt derhalben einen jeden Liebhaber der Wahrheit, er wolle sich dieses Werk aufs beste lassen empfohlen sein und Gott treulich bitten um rechten Verstand der göttlichen Schrift zur Besserung und Mehrung der ganzen Christenheit. Amen. Zu Nürnberg am 15. Septembris. Anno 1530.

Dem ehrbaren und umsichtigen N.,
meinem geneigten Herrn und Freunde.

Gnad und Friede in Christo. Ehrbarer, umsichtiger, lieber Herr und Freund! Ich habe eure Schrift empfangen mit den zwo Quästionen oder Fragen, darin ihr meines Berichts begehrt: erstlich warum ich „An die Römer" im dritten Kapitel (28) die Worte Sankt Pauli: „Arbitrámur hóminem iustificári ex fíde absque opéribus" also verdeutscht habe: „Wir halten, daß der Mensch gerecht werde ohn des Gesetzes Werke, allein durch den Glauben" — und daneben anzeigt, wie die Papisten sich über die Maßen ereifern, weil im Text Pauli nicht stehet das Wort „sola" (allein) und man dürfe solchen Zusatz bei Gottes Worten von mir nicht dulden usw.; zum andern: ob auch die verstorbenen Heiligen für uns bitten, weil wir lesen, daß sogar die Engel für uns bitten usw. Auf die erste Frage, wo es euch gelüstet, mögt ihr euern Papisten von meinetwegen antworten also:

Zum ersten. Wenn ich, D. Luther, mich hätte können des versehen, daß alle Papisten zusammen so kundig wären, daß sie ein Kapitel in der Schrift könnten recht und gut verdeutschen, so wäre ich wahrlich so demütig gewesen und hätte sie um Hilf und Beistand gebeten, das Neue Testament zu verdeutschen. Aber dieweil ich gewußt und noch vor Augen sehe, daß ihrer keiner recht weiß, wie man dolmetschen oder deutsch reden soll, hab ich sie und mich solcher Mühe überhoben. Man merkt es aber gut, daß sie aus meinem Dolmetschen und Deutsch lernen deutsch reden und schreiben und stehlen mir so meine Sprache, davon sie zuvor wenig gewußt; danken mir aber nicht dafür, sondern brauchen sie viel lieber wider mich. Aber ich gönn es ihnen gern, denn es tut mir dennoch wohl, daß ich meine undankbaren Jünger, dazu meine Feinde, reden gelehrt habe.

Zum andern könnt ihr sagen, daß ich das Neue Testament verdeutscht habe nach meinem besten Vermögen und aufs gewissenhafteste; habe damit niemand gezwungen, daß er's lese, sondern es frei gelassen und allein zu Dienst getan denen, die es nicht besser machen können. Es ist niemand verboten, ein bessers zu machen. Wer's nicht lesen will, der laß es liegen; ich bitte und lobe niemand drum. Es ist mein Testament und mein Dolmetschung und soll mein bleiben und sein. Hab ich drinnen irgendwann geirrt (was mir doch nicht bewußt, auch wollt' ich gewiß nicht mutwilliglich einen Buchstaben falsch verdolmetschen) — darüber will ich die Papisten als Richter nicht dulden, denn sie haben noch immer zu lange Ohren dazu und ihr „Ika, Ika" ist zu schwach, um über mein Verdolmetschen zu urteilen. Ich weiß wohl, und sie wissen's weniger denn des Müllners Tier, was für Kunst, Fleiß, Vernunft, Verstand zum guten Dolmetschen gehöret, denn sie haben's nicht versucht.

Es heißt: „Wer am Wege bauet, der hat viel Meister." Also gehet mir's auch. Diejenigen, die noch nie haben recht reden können, geschweige denn dolmetschen, die sind allzumal meine Meister, und ich muß ihrer aller Jünger sein. Und wenn ich sie hätte sollen fragen, wie man die ersten zwei Wort Matthäi 1 (1): „Liber Generationis"[3] sollte verdeutschen, so hätte ihrer keiner gewußt Gack dazu zu sagen — und richten nun über das ganze Werk, die feinen Gesellen. Also ging es Sankt

---

3. L.: „Das Buch von der ‚Geburt' (Jesu Christi)" im Sinne von ‚Abkunft, Geschlecht'.

Hieronymo[4] auch; da er die Biblia dolmetscht, da war alle Welt sein Meister, er allein war es, der nichts konnte, und es urteilten über das Werk des guten Mannes diejenigen, so ihm nicht genug gewesen wären, daß sie ihm die Schuhe hätten sollen wischen. Darum gehöret große Geduld dazu, wenn jemand etwas öffentlich Gutes tun will; denn die Welt will Meister Klüglin bleiben und muß immer das Roß vom Schwanz her aufzäumen, alles meistern und selbst nichts können. Das ist ihre Art, davon sie nicht lassen kann.

Ich wollt' dennoch den Papisten freundlich ansehen, der sich herfür tät und etwa eine Epistel Sankt Pauli oder einen Propheten verdeutschet. Sofern daß er des Luthers Deutsch und Dolmetschen nicht dazu gebraucht, da wird man sehen ein fein, schön, löblich Deutsch oder Dolmetschen[5]! Denn wir haben ja gesehen den Sudler zu Dresden[6], der mein Neues Testament gemeistert hat (ich will seinen Namen in meinen Büchern nicht mehr nennen; zudem hat er auch nun seinen Richter[7] und ist sonst wohl bekannt); der bekennt, daß mein Deutsch süße und gut sei, und sah wohl, daß er's nicht besser machen könnte und wollt' es doch zuschanden machen, fuhr zu und nahm vor sich mein Neu Testament, fast von Wort zu Wort, wie ich's gemacht hab, und tat meine Vorrede, Gloß[8] und Namen davon, schrieb seinen Namen, Vorrede und Gloß dazu, verkauft so mein Neu Testament unter seinem Namen. Ach, lieben Kinder, wie geschah

4. Gest. 420, Schöpfer der Vulgata, der später kirchlich maßgebend gewordenen Fassung der lateinischen Bibel — teils Revision, teils Übersetzung.

5. Spöttisch gemeint!

6. Hieronymus Emser (gest. 1527), der in einer Sonderschrift 1523 L.s Übersetzung kritisierte und damit das Verbot von L.s Ausgabe durch Herzog Georg von Sachsen-Meißen (gest. 1539) begründete; 1527 gab er dann ein Neues Testament heraus, für das L.s Kennzeichnung durchaus zutrifft.

7. D. h., er ist tot und steht vor Gott.

8. Erläuterung.

mir da so wehe, da sein Landsfürst[9] mit einer greulichen Vorrede verdammte und verbot, des Luthers Neu Testament zu lesen, doch daneben gebot, des Sudelers Neu Testament zu lesen, welchs doch eben dasselbig ist, das der Luther gemacht hat.

Und daß nicht jemand hier denke, ich lüge, so nimm beide Testamente vor dich, des Luthers und des Sudelers, halt sie gegeneinander, so wirst du sehen, wer in allen beiden der Dolmetscher sei. Denn was er an wenig Orten geflickt und geändert hat — wiewohl mir's nicht alles gefället, so kann ich's doch gern dulden und schadet mir nicht besonders, soweit es den Text betrifft; darum ich auch nie dawider hab wollen schreiben, sondern hab der großen Weisheit müssen lachen, daß man mein Neu Testament so greulich gelästert, verdammt, verboten hat, als es unter meinem Namen ist ausgegangen, aber es doch müssen lesen, als es unter eines andern Namen ist ausgegangen. Wiewohl, was das für ein Tugend sei, einem andern sein Buch lästern und schänden, darnach dasselbig stehlen und unter eigenem Namen dennoch aus lassen gehen, und so durch fremde verlästerte Arbeit eigen Lob und Namen suchen — das laß ich seinen Richter finden. Mir ist indes genug und bin froh, daß meine Arbeit (wie Sankt Paulus auch rühmet[10]) muß auch durch meine Feinde gefördert und des Luthers Buch ohn Luthers Namen unter seiner Feinde Namen gelesen werden. Wie könnt' ich mich besser rächen?

Und daß ich wieder zur Sache komme: Wenn euer Papist sich viel Beschwer machen will mit dem Wort „Sola-allein", so sagt ihm flugs also: Doktor Martinus Luther will's so haben und spricht: Papist und Esel sei ein Ding. Sic vólo, sic iúbeo, sit pro ratióne volúntas[11].

9. S. Anm. 6, S. 154.
10. Phil. 1, 18.
11. „So will ich's; so befehle ich's; als Begründung gelte mein Wille", Juvenal, „Satiren" 6, 223.

Denn wir wollen nicht der Papisten Schüler noch Jünger, sondern ihre Meister und Richter sein. Wollen auch einmal stolzieren und prahlen mit den Eselsköpfen; und wie Paulus wider seine tollen Heiligen sich rühmet[12], so will ich mich auch wider diese meine Esel rühmen. Sie sind Doktores? Ich auch! Sie sind gelehrt? Ich auch! Sie sind Prediger? Ich auch! Sie sind Theologen? Ich auch! Sie sind Disputatoren? Ich auch! Sie sind Philosophen? Ich auch! Sie sind Diálektiker? Ich auch! Sie sind Legenten[13]? Ich auch! Sie schreiben Bücher? Ich auch!

Und will weiter rühmen: Ich kann Psalmen und Propheten auslegen; das können sie nicht. Ich kann dolmetschen; das können sie nicht. Ich kann beten; das können sie nicht. Und um von geringeren Dingen zu reden: Ich verstehe ihre eigene Dialektika und Philosophia besser denn sie selbst allesamt. Und weiß überdies fürwahr, daß ihrer keiner ihren Aristoteles[14] verstehet. Und ist einer unter ihnen allen, der ein Proömium[15] oder Kapitel im Aristoteles recht verstehet, so will ich mich lassen prellen[16]. Ich rede jetzt nicht zu viel, denn ich bin durch ihre Kunst alle erzogen und erfahren von Jugend auf, weiß sehr wohl, wie tief und weit sie ist. Ebenso wissen sie auch recht gut, daß ich alles weiß und kann, was sie können. Dennoch handeln die heillosen Leute gegen mich, als wäre ich ein Gast in ihrer Kunst, der überhaupt erst heute morgen kommen wäre und noch nie weder gesehen noch gehört hätte, was sie lernen oder können; so gar herrlich prangen sie herein mit ihrer Kunst und lehren mich, was ich vor zwanzig Jahren an

12. II. Kor. 11, 21 ff.
13. D. h. „Vorlesungen" haltende Dozenten.
14. lebte 384-322 v. Chr. Seine Philosophie beherrschte die Wissenschaftsmethode des Hochmittelalters, war darum auch vielfach im Angriffspunkt der Reformatoren.
15. Griechisch: Vorrede.
16. Scherzhafte Strafe, bei der man auf einem gespannten Tuch Menschen hochschnellen ließ.

den Schuhen zerrissen habe; so daß ich auch mit jener Metze auf all ihr Plärren und Schreien singen muß: Ich hab's vor sieben Jahren gewußt, daß Hufnägel Eisen sind.

Das sei auf eure erste Frage geantwortet; und bitte euch, wollet solchen Eseln ja nichts andres noch mehr antworten auf ihr unnützes Geplärre vom Wort „Sola" denn so viel: Luther will's so haben und spricht, er sei ein Doktor über alle Doktor im ganzen Papsttum; da soll's bei bleiben. Ich will sie hinfort nur verachten und verachtet haben, so lange sie solche Leute, ich wollt' sagen, Esel sind. Denn es sind solche unverschämte Tröpfe unter ihnen, die auch ihre eigene, der Sophisten[17] Kunst nie gelernt haben, wie Doktor Schmidt[18] und Doktor Rotzlöffel[19] und seinesgleichen; und stellen sich gleichwohl wider mich in dieser Sache, die nicht allein über die Sophisterei, sondern auch, wie Sankt Paulus sagt[20], über aller Welt Weisheit und Vernunft ist. Wahrlich: ein Esel braucht nicht viel zu singen: man kennt ihn auch schon gut an den Ohren.

Euch aber und den Unsern will ich anzeigen, warum ich das Wort „sola" hab wollen brauchen, wiewohl Römer 3 (28) nicht „sola", sondern „solum" oder „tantum" von mir gebraucht ist. So genau sehen die Esel meinen Text an! Jedoch habe ich anderswo „sola fide" gebraucht und will auch beides, „solum" und „sola",

17. Ursprünglich Standesname griechischer Weisheitslehrer, dann einer speziellen Philosophengruppe, diente er in der Reformationszeit als Scheltname zur Kennzeichnung der philosophisch überfremdeten scholastischen Theologie.

18. Joh. Fabri (= Sohn eines Schmiedes) aus Leutkirch, gest. 1541 als Bischof von Wien, rühriger Gegner L.s und Vertreter katholischer Restauration.

19. Joh. Dobneck aus Wendelstein (daher gräzisiert Cochläus, was L. wiederum an lat. cochlear, Löffel, erinnerte), gest. 1552, Feind L.s, als solcher Verfasser einer wirksamen Luther-Biographie.

20. I. Kor. 1, 20.

haben. Ich hab mich des beflissen im Dolmetschen, daß ich rein und klar Deutsch geben möchte. Und ist uns sehr oft begegnet, daß wir vierzehen Tage, drei, vier Wochen haben ein einziges Wort gesucht und gefragt, haben's dennoch zuweilen nicht gefunden. Im Hiob arbeiteten wir also, Magister Philips[21], Aurogallus[22] und ich, daß wir in vier Tagen zuweilen kaum drei Zeilen konnten fertigen. Lieber — nun es verdeutscht und bereit ist, kann's ein jeder lesen und meistern. Es läuft jetzt einer mit den Augen durch drei, vier Blätter und stößt nicht *ein*mal an, wird aber nicht gewahr, welche Wacken und Klötze da gelegen sind, wo er jetzt drüber hingehet wie über ein gehobelt Brett, wo wir haben müssen schwitzen und uns ängsten, ehe denn wir solche Wacken und Klötze aus dem Wege räumeten, auf daß man könnte so fein dahergehen. Es ist gut pflügen, wenn der Acker gereinigt ist. Aber den Wald und die Stubben ausroden und den Acker zurichten, da will niemand heran. Es ist bei der Welt kein Dank zu verdienen. Kann doch Gott selbst mit der Sonnen, ja mit Himmel und Erden, noch mit seines eignen Sohns Tod, keinen Dank verdienen: sie sei und bleibt Welt — in des Teufels Namen, weil sie ja nicht anders will.

Ebenso habe ich hier, Römer 3, sehr wohl gewußt, daß im lateinischen und griechischen Text das Wort „solum" nicht stehet, und hätten mich solches die Papisten nicht brauchen lehren. Wahr ist's: Diese vier Buchstaben „s-o-l-a" stehen nicht drinnen, welche Buchstaben die Eselsköpf ansehen wie die Kühe ein neu Tor. Sehen aber nicht, daß es gleichwohl dem Sinn des Textes entspricht, und wenn man's will klar und gewaltiglich verdeutschen, so gehöret es hinein, denn ich habe deutsch, nicht lateinisch noch griechisch reden wollen, als ich

21. Melanchthon.
22. Matthäus Aurogallus (Goldhahn), unterrichtete Hebräisch an der Universität Wittenberg.

deutsch zu reden beim Dolmetschen mir vorgenommen hatte. Das ist aber die Art unsrer deutschen Sprache, wenn sie von zwei Dingen redet, deren man eines bejaht und das ander verneinet, so braucht man des Worts solum „allein" neben dem Wort „nicht" oder „kein". So wenn man sagt: der Baur bringt allein[23] Korn und kein Geld. Nein, ich hab wahrlich jetzt nicht Geld, sondern allein Korn. Ich hab allein gegessen und noch nicht getrunken. Hast du allein geschrieben und nicht durchgelesen? Und dergleichen unzählige Weisen in täglichem Brauch.

Ob's gleich die lateinische oder griechische Sprache in diesen Redeweisen allen nicht tut, so tut's doch die deutsche und ist's ihre Art, daß sie das Wort „allein" hinzusetzt, auf daß das Wort „nicht" oder „kein" um so völliger und deutlicher sei. Denn wiewohl ich auch sagen kann: „Der Baur bringt Korn und kein Geld", so klingt doch das Wort „kein Geld" nicht so völlig und deutlich, als wenn ich sage: „Der Baur bringt allein Korn und kein Geld"; und hilft hier das Wort „allein" dem Wort „kein" dazu, daß es eine völlige, deutsche, klare Rede wird. Denn man muß nicht die Buchstaben in der lateinischen Sprache fragen, wie man soll Deutsch reden, wie diese Esel tun, sondern man muß die Mutter im Hause, die Kinder auf der Gassen, den gemeinen Mann auf dem Markt drum fragen und denselbigen auf das Maul sehen, wie sie reden, und darnach dolmetschen; da verstehen sie es denn und merken, daß man deutsch mit ihnen redet.

So wenn Christus spricht: „Ex abundántia cordis os lóquitur[24]." Wenn ich den Eseln soll folgen, die werden mir die Buchstaben vorlegen und so dolmetschen: Aus dem Überfluß des Herzens redet der Mund. Sage mir: ist das deutsch geredet? Welcher Deutsche verstehet

23. = nur!
24. Matth. 12, 34.

solches? Was ist Überfluß des Herzens für ein Ding? Das kann kein Deutscher sagen, es sei denn, er wollte sagen, es bedeute, daß einer ein allzu groß Herz habe oder zuviel Herz habe; wiewohl das auch noch nicht recht ist. Denn, Überfluß des Herzens ist kein Deutsch, so wenig als das Deutsch ist: Überfluß des Hauses, Überfluß des Kachelofens, Überfluß der Bank, sondern *so* redet die Mutter im Haus und der gemeine Mann: Wes[25] das Herz voll ist, des gehet der Mund über. Das heißt gutes Deutsch geredet, des ich mich beflissen und leider nicht allwege erreicht noch getroffen habe. Denn die lateinischen Buchstaben hindern über die Maßen sehr, gutes Deutsch zu reden.

Ebenso wenn der Verräter Judas sagt, Matthäi 26 (8): Ut quid perdítio haec? und Marci 14 (4): Ut quid perdítio ista unguénti facta est? Folge ich den Eseln und Buchstabilisten, so muß ich's so verdeutschen: Warum ist diese Verlierung der Salben geschehen? Was ist aber das für Deutsch? Welcher Deutsche redet so: Verlierung der Salben ist geschehen? Und wenn er's recht verstehet, so denkt er, die Salbe sei verloren und müsse sie wohl wieder suchen; wiewohl das auch noch dunkel und ungewiß lautet. Wenn nun das gutes Deutsch ist, warum treten sie nicht herfür und machen uns solch ein fein, hübsch neu deutsch Testament und lassen des Luthers Testament liegen? Ich meine eben, sie sollten ihre Kunst an den Tag bringen. Aber der deutsche Mann redet so (Ut quid etc.): Was soll doch solcher Unrat? oder: Was soll doch solcher Schade? Nein, es ist schade um die Salbe — das ist gutes Deutsch, daraus man verstehet, daß Magdalene mit der verschütteten Salbe sei unzweckmäßig umgegangen und habe verschwendet; das war Judas' Meinung, denn er gedachte, einen besseren Zweck damit zu erfüllen.

Item, da der Engel Mariam grüßet und spricht: Ge-

25. Neutrum!

grüßet seist du, Maria, voll Gnaden, der Herr mit dir[26]. Nun wohl — so ist's bisher einfach dem lateinischen Buchstaben nach verdeutschet. Sage mir aber, ob solchs auch gutes Deutsch sei. Wo redet der deutsch Mann so: du bist voll Gnaden? Und welcher Deutsche verstehet, was das heißt: voll Gnaden? Er muß denken an ein Faß voll Bier oder Beutel voll Geldes; darum hab ich's verdeutscht: Du Holdselige, worunter ein Deutscher sich sehr viel eher vorstellen kann, was der Engel meinet mit seinem Gruß. Aber hier wollen die Papisten toll werden über mich, daß ich den Engelischen Gruß verderbet habe, wiewohl ich dennoch damit nicht das beste Deutsch habe troffen. Und würde ich hier das beste Deutsch genommen haben und den Gruß so verdeutscht: Gott grüße dich, du liebe Maria (denn so viel will der Engel sagen und so würde er geredet haben, wenn er hätte wollen sie deutsch grüßen), ich glaube, sie würden sich wohl selbst erhängt haben vor übergroßem Eifer um die liebe Maria, darum, daß ich den Gruß so zunichte gemacht hätte.

Aber was frage ich danach, ob sie toben oder rasen? Ich will nicht wehren, daß sie verdeutschen, was sie wollen; ich will aber auch verdeutschen, nicht wie sie wollen, sondern wie ich will. Wer es nicht haben will, der laß mir's stehen und behalte seine Meisterschaft bei sich, denn ich will sie weder sehen noch hören; und sie brauchen für mein Dolmetschen weder Antwort geben noch Rechenschaft tun. Das hörest du wohl: Ich will sagen: „du holdselige Maria, du liebe Maria", und laß sie sagen: „du voll Gnaden Maria". Wer Deutsch kann, der weiß wohl, welch ein zu Herzen gehendes, fein Wort das ist: die liebe Maria, der liebe Gott, der liebe Kaiser, der liebe Fürst, der liebe Mann, das liebe Kind. Und ich weiß nicht, ob man das Wort „liebe" auch so herzlich und genugsam in lateinischer oder anderen Sprachen

26. Luk. 1, 28.

ausdrücken kann, das ebenso dringe und klinge ins Herz durch alle Sinne, wie es tut in unsrer Sprache.

Denn ich halte dafür, Sankt Lukas als ein Meister in hebräischer und griechischer Sprache habe das hebräisch Wort, so der Engel gebraucht, wollen mit dem griechischen „kecharitoméni" treffen und deutlich machen. Und denk mir, der Engel Gabriel habe mit Maria geredet, wie er mit Daniel redet, und nennet ihn „hamudóth" und „isch hamudóth"[27], vir desideriórum, das ist, „du lieber Daniel". Denn das ist Gabrielis Weise zu reden, wie wir im Daniel sehen. Wenn ich nun den Buchstaben nach, aus der Esel Kunst sollt' des Engels Wort verdeutschen, müßte ich so sagen: Daniel, du Mann der Begierungen, oder, Daniel, du Mann der Lüste. Oh, das wäre schön deutsch! Ein Deutscher höret wohl, daß „Mann", „Lüste" oder „Begierungen" deutsche Wort sind, wiewohl es nicht eitel reine deutsche Wort sind, sondern „Lust" und „Begier" wären wohl besser. Aber wenn sie so zusammengefasset werden: Du Mann der Begierungen, so weiß kein Deutscher, was gesagt ist, denkt, daß Daniel vielleicht voll böser Lust stecke. Das hieße denn fein gedolmetscht. Darum muß ich hier die Buchstaben fahren lassen und forschen, wie der deutsche Mann das ausdrückt, was der hebräische Mann „Isch hamudóth" nennt: so finde ich, daß der deutsche Mann so spricht: Du lieber Daniel, du liebe Maria, oder: du holdselige Maid, du niedliche Jungfrau, du zartes Weib und dergleichen. Denn wer dolmetschen will, muß großen Vorrat von Worten haben, damit er die recht zur Hand haben kann, wenn eins nirgendwo klingen will.

Und was soll ich viel und lange reden vom Dolmetschen? Sollt' ich aller meiner Wort Ursachen und Gedanken anzeigen, ich müßte wohl ein Jahr dran zu schreiben haben. Was Dolmetschen für Kunst und Arbeit sei, das hab ich wohl erfahren; darum will ich keinen Papstesel

27. Dan. 9, 23; 10, 11. 19.

noch Maulesel, die nichts versucht haben, hierin als Richter oder Tadeler dulden. Wer mein Dolmetschen nicht will, der laß es anstehen. Der Teufel danke dem, der es nicht mag oder ohn meinen Willen und Wissen meistert. Soll's gemeistert werden, so will ich's selber tun. Wo ich's selber nicht tu, da lasse man mir mein Dolmetschen mit Frieden und mache ein jeglicher, was er will, für sich selbst und lebe wohl!

Das kann ich mit gutem Gewissen bezeugen, daß ich meine höchste Treue und Fleiß drinnen erzeigt, und nie kein falsche Gedanken gehabt habe — denn ich habe keinen Heller dafür genommen noch gesucht, noch damit gewonnen. Ebenso habe ich meine Ehre drin nicht gesucht, das weiß Gott, mein Herr, sondern hab's zu Dienst getan den lieben Christen und zu Ehren einem, der droben sitzet, der mir alle Stunde so viel Gutes tut, daß, wenn ich tausendmal so viel und fleißig gedolmetscht, ich dennoch nicht eine Stunde verdienet hätte zu leben oder ein gesund Auge zu haben: Es ist alles seiner Gnaden und Barmherzigkeit, was ich bin und habe, ja, es ist seines teuren Bluts und sauren Schweißes, darum soll's auch, wenn Gott will, alles ihm zu Ehren dienen, mit Freuden und von Herzen. Lästern mich die Sudeler und Papstesel, wohlan, so loben mich die frommen Christen, samt ihrem Herrn Christo, und bin allzu reichlich belohnet, wenn mich nur ein einziger Christ für einen treuen Arbeiter hält. Ich frag nach Papsteseln nichts, sie sind nicht wert, daß sie meine Arbeit sollen prüfen, und sollt' mir von Herzens Grund leid sein, wenn sie mich losbeten. Ihr Lästern ist mein höchster Ruhm und Ehre. Ich will dennoch ein Doktor, ja auch ein ausbündiger Doktor sein, und sie sollen mir den Namen nicht nehmen bis an den Jüngsten Tag, das weiß ich fürwahr.

Doch hab ich wiederum nicht allzu frei die Buchstaben lassen fahren, sondern mit großer Sorgfalt samt meinen Gehilfen darauf gesehen, so daß, wo es etwa drauf ankam, da hab ich's nach den Buchstaben behalten und bin nicht so frei davon abgewichen; wie Johannes 6 (27), wo Christus spricht: „Diesen hat Gott der Vater versiegelt." Da wäre wohl besser Deutsch gewesen: Diesen hat Gott der Vater gezeichnet, oder, diesen meinet Gott der Vater. Aber ich habe eher wollen der deutschen Sprache Abbruch tun, denn von dem Wort weichen. Ach, es ist Dolmetschen keineswegs eines jeglichen Kunst, wie die tollen Heiligen meinen; es gehöret dazu ein recht, fromm, treu, fleißig, furchtsam, christlich, gelehret, erfahren, geübet Herz. Darum halt ich dafür, daß kein falscher Christ noch Rottengeist treulich dolmetschen könne; wie das deutlich wird in den Propheten, zu Worms verdeutschet[28], darin doch wahrlich großer Fleiß angewendet und meinem Deutschen sehr gefolgt ist. Aber es sind Juden dabei gewesen, die Christo nicht große Huld erzeigt haben — an sich wäre Kunst und Fleiß genug da.

Das sei vom Dolmetschen und der Art der Sprachen gesagt. Aber nun hab ich nicht allein der Sprachen Art vertrauet und bin ihr gefolgt, daß ich Römer 3 (28) „solum" (allein) hab hinzugesetzt, sondern der Text und die Meinung Sankt Pauli fordern und erzwingen's mit Gewalt; denn er behandelt ja daselbst das Hauptstück christlicher Lehre, nämlich, daß wir durch den Glauben an Christum, ohn alle Werke des Gesetzes gerecht werden; und schneidet alle Werke so rein ab, daß er auch spricht: des Gesetzes (das doch Gottes Gesetz und Wort ist) Werk nicht helfen zur Gerechtigkeit; und setzt zum Exempel Abraham, daß derselbige sei so ganz ohne Werk gerecht geworden, daß auch das höchste Werk, das dazumal neu geboten ward von Gott vor und über allen andern Gesetzen und Werken, nämlich die Be-

28. Die 1527 dort erschienene Prophetenübersetzung von Hans Denk und Ludwig Hätzer, zwei führenden Wiedertäufern.

schneidung, ihm nicht geholfen habe zur Gerechtigkeit, sondern sei ohn die Beschneidung und ohn alle Werk gerecht worden durch den Glauben, wie er spricht Kap. 4 (2): „Ist Abraham durch Werke gerecht worden, so kann er sich rühmen, aber nicht vor Gott." Wo man aber alle Werke so völlig abschneidet — und das muß ja der Sinn dessen sein, daß allein der Glaube gerecht mache, und wer deutlich und dürr von solchem Abschneiden der Werke reden will, der muß sagen: Allein der Glaube und nicht die Werke machen uns gerecht. Das erzwinget die Sache selbst, neben der Sprache Art.

Ja, sprechen sie: es klingt ärgerlich und die Leute lernen daraus verstehen, daß sie keine guten Werke zu tun brauchten. Lieber, was soll man sagen? Ist's nicht viel ärgerlicher, daß Sankt Paulus selbst nicht sagt: „allein der Glaube", sondern schüttet's wohl gröber heraus und stößet dem Faß den Boden aus und spricht: „ohn des Gesetzes Werk", und Galat. 2 (16): „nicht durch die Werk des Gesetzes" und desgleichen mehr an anderen Orten; denn das Wort „allein der Glaube" könnte noch eine Gloß[29] finden, aber das Wort „ohn Werk des Gesetzes" ist so grob, ärgerlich, schändlich, daß man mit keiner Glossen helfen kann. Wieviel mehr könnten hieraus die Leute lernen, keine gute Werk tun, da sie hören mit so dürren, starken Worten von den Werken selbst predigen: „kein Werk, ohn Werk, nicht durch Werk". Ist nu das nicht ärgerlich, daß man „ohn Werk, kein Werk, nicht durch Werk" predigt, was sollt's denn ärgerlich sein, so man dies „allein der Glaube" predigt?

Und was noch ärgerlicher ist: Sankt Paulus verwirft nicht schlichte, gewöhnliche Werke, sondern des Gesetzes selbst. Daraus könnte wohl jemand sich noch mehr ärgern und sagen, das Gesetz sei verdammt und verflucht vor Gott und man solle eitel Böses tun, wie die täten Römer 3 (8): „Laßt uns Böses tun, auf daß es gut

29. S. Anm. 8, S. 154.

werde", wie auch ein Rottengeist in unsrer Zeit anfing. Sollt' man um solcher Ärgernis willen Sankt Paulus' Wort verleugnen oder nicht frisch und frei vom Glauben reden? Lieber, gerade Sankt Paulus und wir wollen solch Ärgernis haben und lehren um keiner ander Ursachen willen so stark wider die Werk und treiben allein auf den Glauben, daß die Leute sollen sich ärgern, stoßen und fallen, damit sie können lernen und wissen, daß sie durch ihr gute Werk nicht fromm werden, sondern allein durch Christus' Tod und Auferstehen. Können sie nun durch gute Werk des Gesetzes nicht fromm werden, wieviel weniger werden sie fromm werden durch böse Werk und ohn Gesetz! Darum kann man nicht folgern: Gute Werk helfen nicht — darum helfen böse Werk, gleichwie nicht gut gefolgert werden kann: Die Sonne kann dem Blinden nicht helfen, daß er sehe, darum muß ihm die Nacht und Finsternis helfen, daß er sehe.

Mich wundert aber, daß man sich in dieser offenbaren Sache so kann sperren. Sage mir doch, ob Christus' Tod und Auferstehn unser Werk sei, das wir tun, oder nicht. Es ist keineswegs unser Werk, noch eines einzigen Gesetzes Werk. Nun macht uns ja allein Christus' Tod und Auferstehen frei von Sünden und fromm, wie Paulus sagt Röm. 4 (25): „Er ist gestorben um unsrer Sünde willen und auferstanden um unsrer Gerechtigkeit willen." Weiter sage mir: Welches ist das Werk, womit wir Christus' Tod und Auferstehen fassen und halten? Es darf niemals ein äußerlich Werk, sondern allein der ewige Glaube im Herzen sein; derselbige allein, ganz allein und ohne alle Werk fasset solchen Tod und Auferstehen, wo es gepredigt wird durchs Evangelion. Was soll's denn nun heißen, daß man so tobet und wütet, verketzert und brennt, obgleich die Sach im Grund selbst klärlich daliegt und beweiset, daß allein der Glaub Christus' Tod und Auferstehen fasse ohn alle Werk und derselbige Tod und Auferstehen sei unser

Leben und Gerechtigkeit. Wenn es denn an sich offenbar so ist, daß allein der Glaube uns solch Leben und Gerechtigkeit bringet, fasset und gibt, warum soll man denn nicht auch so reden? Es ist nicht Ketzerei, daß der Glaube allein Christum fasset und das Leben gibt. Aber Ketzerei muß es sein, wer solchs sagt oder redet. Sind sie nicht toll, töricht und unsinnig? Die Sachen bekennen sie für recht und strafen doch die Rede von derselbigen Sache als Unrecht; keinerlei Ding darf zugleich Recht und Unrecht sein.

Auch bin ich's nicht allein, noch der erste, der da sagt, allein der Glaube mache gerecht. Es hat vor mir Ambrosius[30], Augustinus[31] und viel andere gesagt. Und wer Sankt Paulum lesen und verstehen soll, der muß sicher so sagen und kann nicht anders. Seine Wort sind zu stark und dulden kein, ganz und gar kein Werk. Ist's kein Werk, so muß es der Glaube allein sein. Oh, wie würde es eine gar feine, nützliche, unärgerliche Lehre sein, wenn die Leute lernten, daß sie neben dem Glauben auch durch Werk fromm könnten werden. Das wäre so viel gesagt wie, daß nicht allein Christus' Tod unser Sünde wegnehme, sondern unsere Werk täten auch etwas dazu. Das hieße Christus' Tod fein geehret, daß unsere Werk ihm hülfen und könnten das auch tun, was er tut, auf daß wir ihm gleich gut und stark wären. Es ist der Teufel, der das Blut Christi nicht kann ungeschändet lassen.

Weil nun die Sache im Grund selbst fordert, daß man sage: „Allein der Glaube macht gerecht", und unsrer deutschen Sprache Art, die solchs auch lehrt so auszusprechen — habe dazu der heiligen Väter Exempel und

30. Gest. 397, Bischof von Mailand, einer der vier Hauptkirchenväter des Abendlandes.
31. Gest. 430, Bischof von Hippo in Nordafrika, der bedeutendste der Kirchenväter und einflußreichste Theologe der christlichen Kirche nach Paulus.

zwinget auch die Gefährdung der Leute, daß sie an den Werken hangen bleiben und den Glauben verfehlen und Christum verlieren, sonderlich zu dieser Zeit, da sie so lang her der Werk gewöhnet und mit Macht davon losgerissen werden müssen: So ist's nicht allein recht, sondern auch hoch vonnöten, daß man aufs allerdeutlichste und völligste heraus sage: Allein der Glaube ohn Werk macht fromm; und reuet mich, daß ich nicht auch dazu gesetzt habe „alle" und „aller", also: „Ohn alle Werk aller Gesetz", daß es voll und rund heraus gesprochen wäre. Darum soll's in meinem Neuen Testament bleiben, und sollten alle Papstesel toll und töricht werden, so sollen sie mir's nicht heraus bringen. Das sei jetzt davon genug. Weiter will ich, so Gott Gnade gibt, davon reden im Büchlein De iustificatione[32].

Auf die andere Frage, ob die verstorbenen Heiligen für uns bitten. Darauf will ich jetzt kürzlich antworten, denn ich gedenk, einen „Sermon von den lieben Engeln" ausgehen zu lassen, darin ich dies Stück ausführlicher, will's Gott, behandeln werde[33]. Erstlich wisset ihr, daß im Papsttum nicht allein das gelehret ist, daß die Heiligen im Himmel für uns bitten, welchs wir doch nicht wissen können, weil die Schrift uns solchs nicht sagt, sondern auch, daß man die Heiligen zu Göttern gemacht hat, daß sie unsre Patrone haben müssen sein, die wir anrufen sollen, etliche auch, die nie gelebt haben, und einem jeglichen Heiligen sonderliche Kraft und Macht zugeeignet, einem über Feuer, diesem über Wasser, diesem über Pestilenz, Fieber und allerlei Plage, so daß Gott selbst hat ganz müßig sein müssen und die Heiligen lassen an seiner Statt wirken und schaffen. Diesen Greuel fühlen die Papisten jetzt wohl und ziehen heimlich die Pfeifen ein, putzen und schmücken sich nun mit

32. *„Von der Rechtfertigung"*, nicht zu Ende geführt.
33. Was er aber nicht tat. Vgl. den *„Sermon von den lieben Engeln"*, Weim. Ausg. Bd. 32, 111ff.

der Fürbitt der Heiligen. Aber dies will ich jetzt aufschieben. Aber ich stehe dafür, daß ich's nicht vergessen und solchs Putzen und Schmücken nicht ungebüßet hingehen lassen werde!

Zum andern wisset ihr, daß Gott mit keinem Wort geboten hat, Engel oder Heilige um Fürbitt anzurufen, habt auch in der Schrift des kein Exempel; denn man findet, daß die lieben Engel mit den Vätern und Propheten geredet haben, aber nie ist einer für sie um Fürbitt gebeten worden, so daß auch der Erzvater Jakob seinen Kampfengel[34] nicht um Fürbitt bat, sondern nahm allein den Segen von ihm. Man findet aber wohl das Widerspiel in der Apokalypse, daß der Engel sich nicht wollt' lassen anbeten von Johannes[35], und ergibt sich also, daß Heiligendienst sei ein bloßer Menschentand und ein eigen Fündlein ohne Gottes Wort und die Schrift.

Weil uns aber in Gottes Dienst nichts gebührt vorzunehmen ohn Gottes Befehl, und wer es vornimmt, das ist eine Gottesversuchung; darum ist's nicht zu raten noch zu leiden, daß man die verstorbenen Heiligen um Fürbitt anrufe oder anrufen lehre, sondern soll's vielmehr verdammen und meiden lehren. Derhalben ich auch nicht dazu raten und mein Gewissen mit fremder Missetat nicht beschweren will. Es ist mir selber aus der Maßen saur worden, mich von den Heiligen loszureißen, denn ich über alle Maßen tief drinnen gesteckt und ersoffen gewesen bin. Aber das Licht des Evangelii ist nu so helle am Tag, daß hinfort niemand entschuldigt ist, wo er in der Finsternis bleibt. Wir wissen alle sehr wohl, was wir tun sollen.

Darüber hinaus ist's an sich ein gefährlicher, verführerischer Dienst, so daß die Leute sich gewöhnen, gar leicht sich von Christo zu wenden und lernen bald mehr

34. I. Mos. 32, 24 ff.
35. Offbg. 22, 9.

Zuversicht auf die Heiligen denn auf Christo selbst zu setzen. Denn es ist die Natur ohnedies allzusehr geneigt, von Gott und Christo zu fliehen und auf Menschen zu trauen. Ja, es wird aus der Maßen schwer, daß man lerne auf Gott und Christum trauen, wie wir doch gelobt haben und schuldig sind. Darum ist solch Ärgernis nicht zu dulden, womit die schwachen und fleischlichen Leute ein Abgötterei anrichten wider das erste Gebot und wider unsre Taufe. Man treibe nur getrost die Zuversicht und Vertrauen von den Heiligen zu Christo, beides, mit Lehren und mit Üben; es hat dennoch Mühe und Hindernis genug, daß man zu ihm kommt und recht ergreift. Man braucht den Teufel nicht über die Tür malen, er findet sich gut von selbst.

Zuletzt sind wir völlig gewiß, daß Gott nicht drum zürnet, und sind ganz sicher, wenn wir die Heiligen nicht um Fürbitt anrufen, weil er's nirgends geboten hat. Denn er spricht, daß er sei ein Eiferer, der die Missetat heimsucht an denen, die sein Gebot nicht halten[36]. Hier aber ist kein Gebot, darum auch kein Zorn zu fürchten. Weil denn hier auf dieser Seiten Sicherheit ist und dort große Gefahr und Ärgernis wider Gottes Wort, warum wollten wir uns denn aus der Sicherheit begeben in die Gefahr, wo wir kein Gottes Wort haben, das uns in der Not halten, trösten oder erretten kann? Denn es stehet geschrieben: „Wer sich gern in die Gefahr gibt, der wird drinnen umkommen[37]." Auch spricht Gottes Gebot: „Du sollst Gott deinen Herrn nicht versuchen[38]."

Ja, sprechen sie, damit verdammst du die ganze Christenheit, die allenthalben solchs bisher gehalten hat. Antwort: Ich weiß sehr wohl, daß die Pfaffen und Mönch solchen Deckel ihrer Greuel suchen und wol-

36. II. Mose 20, 5.
37. Sir. 3, 27.
38. V. Mose 6, 16.

len auf die Christenheit schieben, was sie übel bewahrt haben, auf daß, wenn wir sagen, die Christenheit irre nicht, so sollen wir auch sagen, daß sie auch nicht irren, und so kein Lüge auch Irrtum an ihnen könne gestraft werden, weil es die Christenheit so hält. So ist denn keine Wallfahrt, wie offenbarlich der Teufel auch da sei, kein Ablaß, wie grob die Lüge auch sei, unrecht. Kurzum: eitel Heiligkeit ist da. Darum sollt ihr hierzu so sagen: Wir handeln jetzt nicht davon, wer verdammt oder nicht verdammt sei. Diese fremde Sache mengen sie da hinein, auf daß sie uns von unsrer Sache abführen. Wir handeln jetzt von Gottes Wort; was die Christenheit sei oder tu, das gehört an ein ander Ort. Hier fragt man, was Gottes Wort sei oder nicht. Was Gottes Wort nicht ist, das macht auch keine Christenheit.

Wir lesen zur Zeit Eliä des Propheten, daß öffentlich kein Gotteswort noch Gottesdienst war im ganzen Volk Israel, wie er spricht: „Herr, sie haben deine Propheten getötet und deine Altäre umgegraben, und ich bin gar alleine[39]." Hier wird der König Ahab und andere auch gesagt haben: Elia, mit solcher Rede verdammst du das ganze Volk Gottes. Aber Gott hatte gleichwohl siebentausend behalten[40]. Wie? Meinst du nicht, daß Gott unter dem Papsttum jetzt auch habe können die Seinen erhalten, obgleich die Pfaffen und Mönche in der Christenheit eitel Teufelslehrer gewesen und in die Höll gefahren sind? Es sind gar viel Kinder und junges Volk gestorben in Christo; denn Christus hat mit Gewalt unter seinem Widerchrist[41] die Taufe, dazu den bloßen Text des Evangelii auf der Kanzel und das Vaterunser und den Glauben erhalten, damit er gar viel seiner Christen und also seine Christenheit erhalten und den Teufelslehrern nichts davon gesagt.

39. I. Kön. 19, 10.
40. I. Kön. 19, 18.
41. D. h. dem Papst(-tum), von L. als Antichrist verstanden.

Und ob die Christen gleich haben etlich Stücke der päpstlichen Greuel getan, so haben die Papstesel damit noch nicht beweiset, daß die lieben Christen solchs gern getan haben, viel weniger ist damit beweiset, daß die Christen recht getan haben. Christen können wohl irren und sündigen allesamt, Gott aber hat sie allesamt gelehrt beten um Vergebung der Sünden im Vaterunser und hat ihre solche Sünde, die sie haben müssen ungern, unwissend und von dem Widerchrist gezwungen tun, wohl gewußt zu vergeben, und dennoch Pfaffen und Mönchen nichts davon sagen. Aber das kann man wohl beweisen, daß in aller Welt immer ein groß heimlich Mummeln und Klagen gewesen ist wider die Geistlichen, als gingen sie mit der Christenheit nicht recht um. Und die Papstesel haben auch solchem Mummeln mit Feur und Schwert trefflich widerstanden bis auf diese Zeit hin. Solch Mummeln beweiset gut, wie gern die Christen solch Greuel gesehen und wie recht man daran getan habe. Ja, lieben Papstesel, kommet nun her und saget, es sei der Christenheit Lehre, was ihr erstunken, erlogen und wie Bösewichter und Verräter der lieben Christenheit mit Gewalt aufgedrungen und wie Erzmörder viel Christen darüber ermordet habt. Bezeugen doch alle Buchstaben in allen Papstgesetzen, daß nichts aus Willen und Rat der Christenheit jemals sei gelehrt, sondern eitel „districte precipiéndo mandámus[42]" ist da; das ist ihr heiliger Geist gewesen. Solch Tyrannei hat die Christenheit müssen leiden, womit ihr das Sakrament geraubt und ohn ihr Schuld so im Gefängnis gehalten ist. Und die Esel wollten solch unleidlich Tyrannei ihres Frevels uns jetzt für eine freiwillige Tat und Exempel der Christenheit verkaufen und sich so fein putzen. Aber es will jetzt zu lang werden. Es sei diesmal genug auf die Frage. Ein andermal mehr. Und haltet mir meine

42. Häufige Formel päpstlicher Bullen: „Mit strenger Vorschrift ordnen wir an."

lange Schrift zu gut. Christus unser Herr sei mit uns allen. Amen.

Ex Eremo[43] octava[44] Septembris. 1530.

Martinus Luther
Euer guter Freund.

Dem Ehrbarn und umsichtigen N., meinem geneigten Herrn und Freunde.

43. S. Anm. 1, S. 151.
44. 8. September.

NACHWORT

Die vorliegende Ausgabe von drei der wichtigsten Schriften Luthers bietet eine Modernisierung des Originaltextes; dieser selbst findet sich in der Weimarer Ausgabe der Werke Luthers oder bequemer in der sog. Bonner Ausgabe (Luthers Werke in Auswahl, herausgegeben von Otto Clemen, 8 Bände, [Bonn] Berlin, 1929 ff.): *„An den christlichen Adel"*, W. A. 6, 404; B. A. 1, 363. *„Von der Freiheit eines Christenmenschen"*, W. A. 7, 3; B. A. 2, 2. *„Sendbrief vom Dolmetschen"*, W. A. 30, II, 632; B. A. 4, 179. Luther zu modernisieren ist ebenso mißlich wie unumgänglich; die bloße Angleichung an die gegenwärtige Schreibung, wie sie vielfach geübt wird, verbirgt in irreführender Weise die Tatsache des starken Bedeutungswandels, dem die deutsche Sprache seit der Reformationszeit ausgesetzt gewesen ist. Ihn recht zu erfassen ist nicht immer ganz leicht, und nur selten bietet sich wie bei der Schrift von der Freiheit eines Christenmenschen die Möglichkeit der Überprüfung des eigenen Verständnisses an einer gleichzeitigen lateinischen Fassung. — Das Hauptgewicht mußte nun darauf liegen, wiederzugeben, was Luther zu sagen beabsichtigte, zunächst ohne Rücksicht auf Erhaltung des Wortlauts, sonst jedoch ist das Satzgefüge nach Möglichkeit bewahrt, auch wo es unserem Ohr Härten bietet.

Unter den modernen Auswahlausgaben größeren Umfangs folgt dem hier angewendeten Verfahren am ehesten die im Erscheinen begriffene, auf dreizehn Bände berechnete Ausgabe *„Luther Deutsch. Die Werke Martin Luthers in neuer Auswahl für die Gegenwart"*, herausgegeben von Kurt Aland, Ehrenfried Klotz Verlag, Stuttgart, gemeinsam mit Vandenhoeck & Ruprecht, Göttingen. Wer ohne philologisch-historische Bemühung mehr und anderes von Luther lesen will, wird hier einen gut gangbaren Weg zu ihm finden.

INHALT

Martin Luther

IN RECLAMS UNIVERSAL-BIBLIOTHEK

An den christlichen Adel deutscher Nation. Von der Freiheit eines Christenmenschen. Sendbrief vom Dolmetschen.

Herausgegeben von Ernst Kähler. 175 S. UB 1578

Tischreden.

Herausgegeben von Kurt Aland. 317 S. UB 1222

Vom ehelichen Leben und andere Schriften über die Ehe.

Herausgegeben von Dagmar C. G. Lorenz. 96 S. UB 9896

Das Neue Testament in der deutschen Übersetzung von Martin Luther nach dem Bibeldruck von 1545 mit sämtlichen Holzschnitten.

Studienausgabe in 2 Bänden. 736 S. UB 3741, 381 S. UB 3742

Philipp Reclam jun. Stuttgart